LE PRINCE
À PALMYRE

SOLANGE FASQUELLE

LE PRINCE
A PALMYRE

ÉDITIONS BERNARD GRASSET
61, rue des Saints-Pères
PARIS-VIe

IL A ÉTÉ TIRÉ DE CET OUVRAGE 26 EXEM-
PLAIRES SUR ALFA DONT 12 EXEMPLAIRES
NUMÉROTÉS 1 A 12 ET 14 HORS COM-
MERCE NUMÉROTÉS HC I A HC XIV CONS-
TITUANT L'ÉDITION ORIGINALE.

Pour Marcel Schneider.

LA FÊTE

La fête qu'offrait Hélène Sawili dans sa maison d'Aley en l'honneur du Prince battait son plein. Tous les invités étaient arrivés, à l'exception de l'Ambassadeur qui avait fait téléphoner qu'on ne l'attendît point. Entre des nuages étirés, la lune de septembre apparut, presque pleine. Deux personnes seulement dans la piscine chauffée, d'où s'échappait une légère vapeur.

L'hôtesse s'approcha de la piscine :

— Il est temps de sortir, dit-elle à Dora, nous allons bientôt passer à table.

Suivie du Consul, Dora Rawad nagea vers l'échelle et accéda à la terrasse, où circulaient des serveurs chargés de plateaux. Au passage, Dora prit une coupe de champagne.

— Cela vous ferait du bien, dit-elle au Consul qui frissonnait.

Le Consul se servit et disparut, enveloppé dans un drap de bain rouge bordé de franges noires, qui lui donnait mauvais genre.

Dans la salle de bains d'Hélène, Dora trouva

Ann Parott — la fille du Premier conseiller de l'ambassade d'Angleterre — qui achevait de se recoiffer.

— Tiens, vous étiez là, dit Dora. Il me semble qu'il y a des éternités qu'on ne vous a vue... Vous revenez d'Europe ?

— Non, non, je n'ai pas quitté Beyrouth, répondit précipitamment Miss Parott en s'éclipsant. Je vous laisse la place.

Au début de l'été, le bruit avait couru qu'elle avait subi une vive déception sentimentale et ne sortait plus. A plusieurs reprises, Dora avait cherché le nom de l'homme qui avait brisé le cœur de Miss Parott. En vain. Ann n'était guère portée aux confidences, et même ses amis les plus intimes ne savaient rien.

L'un après l'autre, Dora déboucha tous les flacons de parfum d'Hélène. En ayant trouvé un qui lui plaisait, elle s'en aspergea abondamment.

Dans le salon aux vastes portes-fenêtres ouvertes sur le jardin, Hélène Sawili présentait au Prince les rares invités qu'il ne connaissait pas encore. Depuis un mois qu'il était à Beyrouth, installé dans la suite présidentielle du Carlton, convié partout, il avait rapidement rencontré toutes les personnes importantes, brillantes ou simplement étranges de la société beyroutine, une des plus remuantes et, peut-être aussi, une des plus frivoles du monde.

Dès son arrivée, on avait adopté le Prince.

Maintenant, on se l'arrachait. Il plaisait par
son charme distant, ses manières parfaites et
le mystère dont il s'entourait. On échangeait
à son sujet plus de cent coups de téléphone
par jour, ses moindres gestes étaient rapportés, ses paroles commentées interminable-
ment. On ne lui connaissait pas d'amis intimes. Il se montrait aimable avec tous, mais si
quelque événement le contrariait, ou si on
abordait un sujet de conversation qui lui-
déplaisait, son ton devenait brusquement cas-
sant et surprenait.

On ne savait rien de précis sur ses origines
et son attitude n'incitait pas aux questions.
Quelques-uns pensaient qu'il était originaire
d'un pays voisin, d'autres lui prêtaient une
ascendance d'Europe centrale. Le Prince lui-
même ne faisait rien pour éclairer ses interlocuteurs : il parlait plusieurs langues sans le
moindre accent et ne montrait aucune préférence à s'exprimer dans l'une plutôt que dans
l'autre.

Apprenant qu'Hélène organisait pour le
Prince une soirée qui se terminerait par un
feu d'artifice et qu'elle limiterait ses invités
à une quarantaine de personnes, un grand
nombre de gens avaient cherché à en faire
partie ; amusée, la jeune femme avait vu de
vagues relations se mettre soudain à la traiter en amie intime.

Ann Parott avançait maintenant vers le
groupe qui entourait Hélène et le Prince.

— Je ne crois pas, dit Hélène à son hôte,

que vous ayez déjà rencontré Miss Parott. C'est une jeune fille charmante, pour laquelle j'ai la plus profonde estime.

Le Prince s'inclina devant Ann, qui lui tendit une main presque immatérielle.

— J'ai eu le plaisir, dit le Prince, de faire la connaissance de Monsieur votre père, la semaine dernière. Nous avons eu une conversation passionnante sur *Madame Bovary*.

— Tiens, dit Ann surprise, mon père ne parle pas souvent de Flaubert. Ses grands sujets sont Dickens et les poètes lakistes.

Dora Rawad s'était approchée du Prince et tentait de capter son attention. Mais elle ignorait tout des poètes lakistes. Aussi lui était-il difficile de se mêler à la conversation.

Le Prince la vit et s'écarta légèrement pour lui faire place dans le cercle.

— Vous vous êtes baignée ? demanda-t-il.

— J'ai même étrenné le merveilleux fauteuil flottant qu'Hélène vient d'acheter : il est si commode avec ce trou dans son bras pour y introduire un verre !

— Comme c'est ingénieux ! dit le Prince en souriant avec une imperceptible ironie.

Dora ne quittait pas le Prince du regard. De taille moyenne, il était néanmoins fort bel homme, et le charme étrange, un peu égyptien de son visage bronzé, de ses yeux noirs, contribuait à sa séduction. Tout en acceptant la cigarette qu'il lui offrait dans un étui d'or ciselé, Hélène s'interrogeait sur le Prince : il lui avait été recommandé par

une amie d'enfance vivant à l'étranger et, dès
son arrivée, elle l'avait invité. Depuis un mois,
elle l'avait rencontré presque chaque jour. Le
Prince l'avait accompagnée à des réceptions,
au Casino et plusieurs fois, il était venu passer la journée sur son yacht, avec des amis.

En toutes circonstances son attitude était
amicale, mais toujours réservée ; ce qui étonnait et détonnait parfois dans un groupe
accoutumé à plus de familiarité. Pourtant, on
ne pouvait dire que le Prince fût difficile à
amuser. Il paraissait toujours prêt à partager
les divertissements proposés par les uns et
les autres.

— Passons à table, dit Hélène. Voilà
l'Ambassadeur.

En effet, comme s'il avait été projeté de
l'extérieur avec force, l'Ambassadeur pénétra
dans le salon, s'arrêta net, puis se précipita
vers Hélène et lui prit les mains.

— Je ne sais comment me faire pardonner
ce retard, dit-il. Faut-il me jeter à vos pieds ?

A Beyrouth, l'Ambassadeur passait pour
exalté, bien qu'il représentât un pays connu
pour son sens de la mesure.

— Pour votre pénitence, vous serez privé
de bain, dit Hélène.

Sur la grande terrasse, qui entourait la maison, cinq tables étaient dressées, éclairées par
des photophores, et un buffet abondamment
pourvu attendait les convives. Une musique
douce se répandit dans l'air tiède et les ser-

veurs versèrent le champagne rosé, tandis que les invités attaquaient le foie gras.

Le Consul, qui venait d'un pays où ces fastes étaient inconnus, était ébloui chaque fois par le luxe d'Hélène Sawili. Cependant, croyant élégant de paraître blasé, il touchait à peine aux plats.

— Vous n'avez guère d'appétit, remarqua Dora, sa voisine. Après avoir nagé...

— Je dîne très légèrement, dit le Consul, stoïque.

Dora, qui n'avait aucune raison de se modérer, reprit du foie gras pour la troisième fois.

— N'êtes-vous pas étonné par la présence d'Ann Parott ? demanda la jeune fille en baissant la voix.

— Si... J'ai entendu dire qu'Elie Maran...

— Non, coupa Dora avec assurance, ce n'est pas Elie. Il est beaucoup trop vieux.

— Il a quarante ans, dit le Consul avec tristesse, se gardant bien d'ajouter que lui-même venait d'en avoir quarante-trois.

— Ann n'a que vingt-deux ans.

— Et vous ?

— Dix-neuf, vous le savez bien, dit Dora.

— C'est vrai : je me suis cru obligé de vous faire un cadeau !

Dora éclata de rire et saisit la main de son voisin sous la table.

— Vous êtes merveilleux, dit-elle, je me demande ce que je deviendrais sans vous.

— Les jeunes gens ne manquent pas à Beyrouth...

— La compagnie d'un Consul n'est-elle pas plus flatteuse ?

— En attendant celle d'un Prince ?

Dora parut ne pas entendre.

— Où est Elie Maran ? reprit le Consul.

Dora regarda autour d'elle.

— A la table d'Hélène, naturellement. Avec l'Ambassadeur et le Prince.

Le Consul but quelques gorgées de champagne : bien que son visage demeurât grognon, il éprouvait mille délices. Il avait pris goût au champagne et ne pourrait plus s'en passer...

— Vous connaissez bien Elie ? demanda-t-il en baissant la voix.

Dora le dévisagea et, l'espace d'un instant, une lueur d'intelligence apparut dans son regard.

— Si vous appelez *connaître* quelqu'un le voir au moins une fois par semaine, alors je connais bien Elie. Autrement...

— A-t-il un ami intime ?

— Pierre Fakry.

— Celui qui se passionne pour les vieilles pierres ?

Dora fit un signe de tête affirmatif.

Le Consul remarqua qu'elle se tournait souvent vers le Prince. Il ricana :

— Il vous plaît, n'est-ce pas ?

Dora prit l'air étonné :

— Qui donc ?

— Le Prince, naturellement. De qui d'autre parle-t-on à Beyrouth ?

— Vous ne le trouvez pas séduisant ?

— Je préfère les femmes.

— Ah ! vous préférez seulement ? dit Dora avec un sourire moqueur.

Le Consul se mordit les lèvres : était-il possible que la jeune fille ait eu vent de cette histoire stupide avec le marin grec, derrière la place des Canons ? Non, elle parlait à tort et à travers, comme toutes les péronnelles de son âge. Néanmoins, il lui parut prudent de changer de conversation.

— Hélène porte une robe merveilleuse ce soir.

— Elle lui épaissit un peu la taille...

Le Consul demeura sans voix devant ce trait de méchanceté.

— Vous n'aimez pas le champagne ? demanda Pierre Fakry à sa voisine. Je vois que vous n'avez pas touché à votre verre.

Ann Parott sursauta : cette simple phrase, à en juger par son expression, parut la bouleverser, la tirer d'une rêverie morose. Précipitamment, comme pour rattraper le temps perdu, Ann porta la coupe à ses lèvres et en but plusieurs gorgées. Elle esquissa un sourire presque imperceptible.

— Il est excellent, dit-elle.

Maintenant, Pierre Fakry ne savait plus très

bien que lui dire. Il devait entretenir la conversation, ajouter quelques mots. Comme il n'aimait rien d'autre que l'archéologie, il demanda :

— Saviez-vous qu'on vient de proposer à Elie Maran une très belle tête, sans doute du IIe ou du IIIe siècle, découverte à Tyr ?

— Non, dit Ann, comment est-elle ?

— De petite taille, en pierre grise veinée de blanc, polie par un long séjour dans l'eau. C'est un visage d'homme jeune, très beau, barbu : on ignore pour l'instant qui elle représente.

— Elie va l'acheter ?

Chaque fois que, dans un rayon de cent kilomètres autour de Beyrouth, on découvrait quelque objet ancien, monnaie, chapiteau de colonne, statuette, on venait l'offrir à Elie Maran. Parfois, on essayait de l'abuser en lui montrant des faux : son œil exercé les décelait rapidement et le vendeur « se brûlait » auprès de lui.

Il s'était constitué ainsi une très belle collection d'antiquités, que Pierre Fakry étiquetait et classait avec soin. Il était presque le seul à avoir le droit de contempler ces trésors et il en tirait grande vanité.

— Je crois qu'il en a très envie, dit Pierre.

Depuis quelque temps cependant, Elie restreignait le nombre de ses acquisitions. Il prétendait qu'on ne lui proposait rien d'intéressant. Pourtant deux mois plus tôt — Pierre se trouvait justement chez Elie — un paysan avait apporté un collier d'or, serti de rubis de Ceylan, d'un rouge éteint, profond. Devant la finesse et la beauté de ce bijou, Pierre avait senti combien son ami était tenté. Le retournant dans ses longues mains brunes, semblant éprouver une véritable jouissance au contact de cet objet jailli du passé, Elie était demeuré indécis de longs instants, tandis que brillait l'œil de l'homme, qui déjà s'apprêtait à empocher le prix de ce trésor. Pierre aussi pensait l'affaire conclue et imaginait l'effet du bijou sur un coussin de velours noir dans la petite vitrine consacrée aux joyaux.

Elie avait questionné le paysan : combien voulait-il de cette parure qu'il prétendait avoir découverte en creusant au pied d'un arbre ? Au chiffre énoncé, important mais pas excessif, les commissures des lèvres d'Elie Maran s'étaient légèrement crispées et, avec un soupir, il avait rendu l'objet. En vain l'homme baissa-t-il ses prétentions : « C'est encore trop », avait dit Elie.

Après le départ du visiteur, Pierre s'était étonné. Un regard triste d'Elie, un geste désabusé, l'avaient réduit au silence.

Elie Maran passait pour un homme secret, un peu étrange, parfois insociable : pendant des jours, il refusait de sortir de chez lui et même de répondre au téléphone, comme si, soudain, la vue d'autrui et son existence même lui devenaient insupportables. On supposait mille choses à son sujet, on lui prêtait des vices cachés, des maladies bizarres de l'esprit ou du corps, des accointances avec des services secrets étrangers...

— Donnez-moi encore du champagne, demanda Miss Parott.

Une légère roseur éclairait ses joues pâles d'Anglaise. « Au fond, pensa Pierre Fakry, si son visage s'animait un peu, elle serait assez jolie. »

La table d'Hélène était très gaie. L'Ambassadeur, pour faire excuser son retard, se montrait brillant et même spirituel, ce qui surprenait agréablement ses voisines habituées à l'entendre discourir sans fin sur les sujets les plus ennuyeux. Placé en face du Prince, Elie Maran l'observait avec autant d'attention que la bienséance l'y autorisait. Il l'avait déjà rencontré une dizaine de fois, au hasard des réceptions beyroutines. Ils avaient échangé quelques phrases. Cependant, il ne parvenait pas à se faire une idée de lui. Il avait l'impression d'une construction ronde, agréable à regarder, parfaitement lisse, dont on faisait le tour sans jamais en découvrir l'ouverture.

— Comptez-vous rester encore longtemps à Beyrouth ? demanda Martha Accaoui qui était assise à la droite du Prince.

— Je me plais beaucoup au Liban, répondit-il.

Il se tourna vers Hélène en souriant et poursuivit :

— Je connais peu de pays où on accueille les étrangers plus amicalement.

— Nous aimons recevoir, répondit Hélène,

et notre Liban étant petit, nous avons le goût de ce qui vient d'ailleurs.

En prononçant ces mots, Hélène se demandait quelle idée l'avait prise d'organiser cette soirée pour le Prince : de toute manière, elle avait coutume d'en offrir une à cette époque de l'année, mais pourquoi signaler que celle-ci était donnée en l'honneur du Prince ? Il la séduisait certes. Il l'intriguait davantage encore par une conduite qu'elle jugeait bizarre, faute de pouvoir mieux la définir.

Elie Maran lui lança un coup d'œil complice auquel elle répondit en esquissant une très légère grimace. Elle devinait qu'ils se livraient tous deux aux mêmes réflexions.

Hélène éprouvait pour Elie une tendre amitié qu'une dizaine d'années auparavant elle avait prise pendant un temps pour de l'amour. Elie ne s'était pas aperçu de cette inclination ou n'avait pas voulu y répondre. Puis, sans entrain, Hélène s'était laissée épouser par Jamil Sawili, un homme estimable, qui avait eu le tact de mourir peu de temps après leur mariage, laissant sa femme à la tête d'une fortune considérable, qui lui permettait de mener une existence fort plaisante, partagée entre les plaisirs de l'esprit, ceux du monde et des activités sportives où elle excellait.

On la tenait pour une des personnes les plus agréables de la ville, non seulement à cause de sa beauté et de son élégance — elle s'habillait à Paris — mais aussi de son intelligence, de son esprit, et de l'indulgence amusée dont elle faisait preuve au récit des folies d'autrui. Un soir qu'une jeune femme, invitée à une réception qu'offrait Hélène pour le nouvel Ambassadeur de l'Uruguay, se plaignait à son hôtesse d'être l'objet des sollicitations pressantes d'une cantatrice d'âge mur, de passage pour un récital, qui avait sans doute abusé de boissons fortes, son seul commentaire avait été : « Comme elle est agaçante ! »

— On m'a beaucoup vanté votre collection, dit le Prince à Elie Maran. Serai-je un jour admis à la contempler ?

A tout autre, Elie aurait répondu par un grognement que l'interlocuteur prenait, en général à tort, pour un acquiescement. Mais le regard d'Hélène lui fit comprendre que, cette fois-ci, il devait se résigner.

— Je serais très heureux de vous la montrer, dit-il en s'efforçant de sourire, mais je crains que vous ne soyez déçu : les quelques objets que j'ai pu réunir n'ont rien de bien extraordinaire.

Tout le monde se récria, à commencer par l'Ambassadeur qui demandait souvent conseil à Elie Maran pour l'acquisition de pièces de petites dimensions et faciles à négocier. Chaque été, lorsqu'il se rendait en Europe pour son congé annuel, il vendait statuettes et monnaies, transportées par la « valise ». Avec ce pécule, il projetait l'achat d'une villa dans le sud de la France ou en Italie, en prévision d'une retraite dont la date approchait.

— Eh ! bien, dit Martha Accaoui en

s'adressant au Prince, si vous voyez cette fameuse collection, vous aurez plus de chance que moi. Et je connais Elie depuis quinze ans !

Le Prince sourit :

— Nous verrons, dit-il.

Martha, à qui le Prince ne plaisait pas, jalousait Hélène, moins riche qu'elle sans doute mais dont les réceptions étaient plus fastueuses que les siennes. Elle reprit :

— Si vous y allez, m'emmènerez-vous ?

— Votre compagnie doublera pour moi l'agrément de cette visite.

Martha, élevée aux U.S.A. jusqu'à l'âge de seize ans, s'étonnait encore de l'amabilité fleurie et parfois traîtresse des propos orientaux. Elle préférait moins de politesse et plus de franchise. Apparemment, ce n'était pas la coutume ici où l'art de déguiser sa pensée, de l'envelopper de détours subtils, se cultivait dès l'enfance.

L'Ambassadeur, qui avait encore quelques disponibilités dont Elie Maran pourrait indiquer un emploi judicieux, se tourna vers celui-ci :

— Si vous le permettez, cher ami, je me joindrai à eux.

A ce moment-là, Elie décida qu'aucun d'eux ne franchirait le seuil de sa maison. Mais pour détourner leur attention et leur faire oublier ce projet, il devrait imaginer un stratagème, ces gens du monde mettant un acharnement redoutable à la poursuite de leurs

plaisirs. En outre, bien qu'il eût conscience
de l'absurdité de ce sentiment, il en voulait
à l'Ambassadeur qui, sur son conseil, s'était
empressé d'acquérir le collier de rubis. Quant
à lui, plutôt que d'enrichir sa collection, il
lui fallait songer à se séparer de certaines
pièces, perspective qui le rongeait. A moins
qu'avec Hunter, l'Américain, il ne parvînt à
gagner beaucoup d'argent...

Le désespoir qui habitait Ann Parott depuis
quatre mois et trois jours exactement, commençait à se dissiper sous l'influence des
nombreuses coupes versées par Pierre Fakry.
C'était la première fois qu'elle buvait de nouveau de l'alcool. Il lui semblait que, maintenant, elle parvenait à distinguer les gens les
uns des autres. Ce qui depuis le début de la
soirée n'avait été qu'un amas confus de silhouettes perdues dans la brume, acquérait
peu à peu une certaine netteté : les noms et
les visages correspondaient désormais, Ann
entendait ce qu'on lui disait et réussisait à
répondre d'une manière normale. Bien sûr,
rien ne serait jamais plus comme avant... Elle
se revoyait à la dernière fête d'Hélène, six mois
auparavant, avec une robe bleue qu'elle étrennait — elle ne l'avait pas remise — et assurée
de posséder le monde... Pourtant, le cadre
n'avait pas changé, à peu de chose près les
invités étaient les mêmes, jusqu'au goût du

champagne... Mais l'univers dans lequel elle se mouvait avec précaution était dépourvu de relief et de couleurs : flou et sombre, il ressemblait à une photo sous-exposée...

— Vous avez un air songeur, remarqua Pierre.

— Je pensais à la dernière réception d'Hélène, dit Ann, semblable à celle-ci.

— A un détail près : la présence du Prince... Ann sourit :

— Vous avez raison, je l'avais oublié.

— Il ne semble guère vous intéresser...

— Et pourquoi devrais-je m'y intéresser ? D'ailleurs, je le rencontre pour la première fois.

— Toutes nos jeunes amies en sont folles... A commencer par Dora.

Ils observèrent tous deux un instant Dora, qui s'agitait beaucoup et se retournait constamment pour regarder le Prince.

— Pauvre Dora, dit Ann, je crains qu'elle ne se fasse des illusions. Mais n'est-elle pas au mieux avec le Consul ? Du moins, on le disait avant l'été.

Les yeux gris de la jeune fille se fixaient sur Pierre, interrogateurs. Il sentit cependant que cette conversation ne l'intéressait pas réellement.

— Certes, dit-il, je ne crois pas qu'il se soit passé grand-chose pendant votre absence.

— Je n'étais pas absente, dit Ann.

— Je sais...

— Je ne sortais pas, voilà tout.

Dora Rawad faisait un considérable effort de volonté pour ne dévisager le Prince que toutes les cinq minutes : jamais elle n'avait connu d'homme plus beau. En outre, le mystère dont il s'entourait la fascinait. Il personnifiait l'Aventure et, chaque soir, elle rêvait longuement à lui, étendue sur la terrasse contiguë à sa chambre, d'où elle apercevait la lueur verte de l'enseigne du *Carlton* et les mille lumières de Beyrouth, qui ne dormait jamais. Elle réfléchissait aux moyens d'attirer l'attention d'un être que toute la ville fêtait : sans cesse, les uns et les autres imaginaient des divertissements inédits, de nouvelles manières de passer les soirées étouffantes et fébriles d'un été depuis longtemps commencé.

Comment rivaliser avec Hélène par exemple, qui n'était pas obligée, pour inviter des amis, d'obtenir l'accord de parents autoritaires qui considéraient déjà que leur fille sortait trop et « rentrait à des heures indues » ? Quant aux robes, Dora avait beau s'ingénier à en varier l'aspect le plus possible, cela n'en augmentait pas le nombre... Elle soupira. Le Consul lui chuchota de sa voix basse, un peu cassée :

— Vous aimeriez mieux vous trouver à l'autre table, n'est-ce pas ?

Dora le regarda avec une sorte de haine et ne répondit pas.

— Ne vous tourmentez pas, poursuivit le

Consul, vous aurez votre chance après dîner. Je peux essayer de vous aider si vous le désirez.

— Et comment ?

— En entraînant Hélène, Elie et l'Ambassadeur dans une conversation politique : vous savez que les élections sont proches et le cousin d'Hélène est candidat à Tripoli. L'Ambassadeur sera heureux de pouvoir faire état de quelque information dans son rapport hebdomadaire. Cela vous permettrait de vous approcher du Prince. Si vous êtes adroite, vous lui proposerez une promenade dans le parc sous un prétexte ou un autre.

— Vous feriez cela ?

Dora était méfiante : elle aimait bien le Consul, qu'elle pouvait tourmenter dans une certaine mesure, mais son origine étrangère et une certaine bizarrerie dans son comportement le rendaient inquiétant.

— Et que voulez-vous en échange ?

— Rien pour l'instant, dit le Consul.

Cette réponse rassura Dora : plus tard, il serait toujours temps de voir...

— De quoi parler au Prince ?

Le Consul la considéra d'un air moqueur.

— Faut-il aussi que je vous fournisse le sujet de conversation ? Parlez-lui de la dernière représentation de Baalbeck : il y était avant-hier soir.

— Moi pas, dit piteusement Dora.

— Justement, vous le questionnerez.

Etait-il possible d'avoir affaire à une personne aussi sotte ? En fait, ne l'avait-il pas choisie pour cela : en sortant avec elle, il n'avait rien à redouter.

Martha se demandait comment elle terminerait la soirée. Aucun des hommes présents ne l'attirait et elle sentait qu'elle n'en intéressait aucun d'une manière particulière, sauf l'Ambassadeur, qui bien sûr, ne demanderait pas mieux que de l'emmener prendre un verre aux « Caves » et de faire ensuite ce qu'elle voudrait. Mais il l'ennuyait, et s'afficher avec un Ambassadeur était vraiment trop conventionnel. Martha bâilla : la vie n'offrait pas grand amusement pour l'instant et elle avait une subite envie de quitter Beyrouth. Où pourrait-elle aller ? Peut-être aux Caraïbes ou dans un endroit de ce genre... Le seul avantage de sa situation était de n'avoir de comptes à rendre à personne : orpheline, elle possédait suffisamment d'argent pour se passer tous ses caprices.

Comme ces soirées étaient monotones ! Pour se distraire, Martha examina les bijoux d'Hélène : ce soir, elle avait sorti les plus beaux en l'honneur du Prince. Son collier de saphirs éclipsait les bijoux des autres femmes : un cadeau de Jamil, sans doute, ou un héritage de sa mère.

— Voulez-vous un peu de champagne ? proposa le Prince.

Martha tendit sa coupe : puisqu'il semblait n'y avoir aucune distraction spéciale en perspective, autant boire. Tandis que le Prince la servait, elle fut frappée par ses boutons de manchette : de petits sphinx en or avec des yeux d'émeraude.

— C'est amusant, dit-elle. Je pense qu'ils viennent du Caire ?

— Non, dit le Prince d'un ton un peu sec, je les ai fait faire chez Cartier.

Hélène s'assura que ses invités avaient fini de dîner et donna le signal de quitter la table. On prendrait le café dans le jardin de l'autre côté de la maison, afin de laisser le temps de desservir. Il était presque onze heures, elle ferait tirer le feu d'artifice vers minuit et, après, tous ces gens-là s'en iraient. Hélène se sentit soudain lasse, désireuse de solitude et de calme... Ce n'était guère le moment, il fallait « faire des frais », participer au bavardage des uns et des autres, veiller à ce que personne ne reste seul.

De nouveau les serveurs passaient les plateaux, chargés cette fois-ci de café turc fumant et de cigares. Le Prince alluma un de ses propres cigares qu'il tira d'un étui de métal. Il en proposa un à l'Ambassadeur qui s'approchait de lui.

— Volontiers. Voyons, ne vous ai-je pas déjà vu ? Peut-être à Athènes ou à Alexandrie ? J'ai été en poste en Egypte avant les événements...

— C'est possible, concéda le Prince d'un air détaché.

— Et avant d'arriver à Beyrouth, où étiez-vous ?

Il sembla à l'Ambassadeur qu'une pointe d'agacement — ou était-ce de la gêne ? — se glissait dans la réponse du Prince à cette question précise.

— Pas très loin, dit-il cependant avec un sourire, à Amman.

Que pouvait-on faire à Amman en août — le Prince était arrivé dans les derniers jours du mois — si on n'y avait quelque obligation professionnelle ?

— Ce ne devait pas être un séjour agréable...

— La température était étouffante, convint le Prince.

Il n'en dit pas davantage et, comme Hélène se joignait à eux, l'Ambassadeur n'eut pas le loisir de poursuivre son interrogatoire. Il décida de le remettre à plus tard, car l'origine de ce personnage l'intriguait : il ne parvenait pas à le *situer*.

— J'aime beaucoup cette gravure près de la cheminée, dit le Prince.

— Elle représente Palmyre au début du siècle dernier, expliqua Hélène. Mon mari l'avait achetée à Damas il y a une dizaine d'années.

— Connaissez-vous Palmyre ? demanda Elie au Prince.

— Non et je le regrette.

— Ce n'est pas difficile d'y aller, dit

Hélène, il suffit de quelques heures de voiture ou encore vous pouvez prendre l'avion.

— Il est préférable de faire le trajet en voiture, dit Elie. Il ne faut pas manquer l'apparition de la ville au soleil couchant, baignant dans une lumière dorée qui blanchit peu à peu. L'ombre noire des colonnes sur le sable s'estompe puis s'efface complètement. Les ruines paraissent s'enfoncer dans le désert.

— Pourquoi n'irions-nous pas à Palmyre ? demanda le Prince sans s'adresser à personne en particulier.

Dora, qui s'était mêlée au groupe, s'exclama avec enthousiasme :

— Quelle bonne idée ! Ce serait tellement amusant !

Aussitôt plusieurs personnes parmi lesquelles Martha Accaoui et Pierre Fakry se montrèrent séduites par le projet.

— Il faudrait y aller en deux voitures, dit Elie. C'est plus prudent.

— La mienne est vaste et confortable, dit Hélène qui possédait une grosse Mercedes.

On élimina la décapotable d'Elie Maran et l'Austin de Pierre Fakry. Martha proposa sa Jaguar. Dora se sentit humiliée : non seulement elle n'avait pas de voiture, mais son père ne l'autorisait même pas à se servir de la sienne.

Tandis que la conversation devenait générale, Pierre demanda à Ann Parott :

— Nous accompagnerez-vous ?

— Moi ?

La stupeur se peignit sur le visage de la jeune fille.

— Est-ce là un projet tellement extraordinaire ? reprit Pierre Fakry. N'organisons-nous pas souvent des promenades ? Celle-ci sera un peu plus longue, voilà tout.

— Qu'irais-je faire à Palmyre ? dit Ann comme si elle se parlait à elle-même.

Pierre la sentit désolée et en fut touché.

— Il faut que vous veniez, dit-il étonné lui-même de son insistance. Ce sera une excursion merveilleuse.

— Je ne pense pas que je...

Elle semblait être au bord des larmes. Pierre la prit doucement par le bras et l'entraîna sur la terrasse maintenant déserte. Elle le suivit sans protester, comme hébétée.

« Je ne dois pas pleurer, se répétait Ann, c'est indécent. Je vais m'en aller tout de suite, sans saluer personne. Ma voiture est tout près... »

Elle se rendit compte qu'une grosse larme chaude glissait sur sa joue, qu'une seconde prenait déjà le même chemin. Elle essaya de prononcer quelques mots d'excuses.

— Avec moi, cela n'a pas d'importance, affirma Pierre en la regardant aussi affectueusement qu'il le put. Ne vous tourmentez pas.

— Vous êtes gentil, murmura-t-elle, je n'aurais pas dû venir ce soir, je ne voulais pas, mon père m'a obligée...

— Il a eu raison...

Il avait envie de lui dire qu'il fallait oublier, qu'elle était jeune et se remettrait de ce désespoir. Il avait envie aussi de lui raconter que lui-même, lorsque Sandra l'avait abandonné, il avait souhaité mourir et que souvent encore, s'il ne se surveillait pas, s'il ne contrôlait pas ses pensées, une indifférence proche de la mort le gagnait, l'envahissait, le rendant incapable d'agir, ou même d'être autre chose que cette souffrance sèche, presque désincarnée, qui lui collait à la peau.

Assis à côté d'Ann sur le mur bas qui entourait la terrasse, il avait l'impression de se trouver non pas en compagnie d'une étrangère avec qui, jusqu'à ce soir, il avait échangé dix paroles, mais avec une sœur, une amie qui venait le rejoindre sur un sentier perdu...

Le Consul demandait à Hélène :

— Comment se déroule la campagne électorale de votre cousin ?

— Je ne sais pas si Fouad a de grandes chances...

Intéressé, l'Ambassadeur s'approcha, tandis que Dora s'arrangeait pour se glisser à côté du Prince.

— La mort du député de Tripoli a été si soudaine, si étrange qu'on se demande... dit Elie Maran.

— Ah ! vraiment ? s'exclama l'Ambassadeur. En savez-vous davantage ?

— Voulez-vous que nous allions un peu dehors ? demanda Dora au Prince. Il fait si chaud à l'intérieur...

— Volontiers.

— Je vous accompagne, déclara Martha échauffée par l'alcool. L'air est lourd ce soir...

Si elle se joignait à eux, c'était afin de contrarier Dora et accessoirement Hélène. Cette soirée l'ennuyait, elle voulait se distraire.

Le Consul retint un sourire en voyant la mine désappointée de Dora et l'air mécontent de la maîtresse de maison, obligée de rester au salon, en proie à l'Ambassadeur qui s'efforçait de s'initier aux complexités de la vie politique du pays en s'aidant d'un grand verre de cognac.

D'un geste nerveux, Hélène faisait tourner son bracelet de diamants autour de son poignet. Pourquoi avait-elle encore invité Martha ? Elle se posait chaque fois cette question et se promettait de ne plus recommencer. Au fond, elle détestait Martha, son assurance, le peu de cas qu'elle faisait des usages, et ce goût de la boisson et des hommes qu'elle ne dissimulait pas. Et maintenant, cette façon de poursuivre le Prince dans le parc... Evidemment Dora les accompagnait mais elle n'était qu'une petite fille insignifiante dont il était facile de se débarrasser.

— Alors, dit Martha en apercevant Ann Parott et Pierre Fakry, on fait des apartés ?

— Je tentais de convaincre Ann de se join-

dre à notre expédition à Palmyre, répondit
posément Pierre.

— Nul doute que vous y parviendrez !
lança Martha d'un ton moqueur. Venez, dit-elle
à Dora et au Prince, laissons-les à leur tête-à-
tête.

Quand ils se furent éloignés, Ann voulut se
lever et regagner le salon.

— Vous n'allez tout de même pas vous
préoccuper des remarques de Martha !

— Elle est méchante...

— Tout le monde le sait, et on ne tient
aucun compte de ses ragots.

— D'ailleurs, dit Ann, que m'importe ? On
peut bien raconter sur moi ce qu'on voudra...

Ayant obtenu d'Elie quelques renseigne-
ments sur les candidats qui s'opposaient à
Tripoli et sur leurs manœuvres pour tenter
de se faire élire, l'Ambassadeur estima qu'il
avait suffisamment servi son pays ce soir-là
et qu'il pouvait maintenant, l'âme en paix, se
détendre. Il chercha en vain Martha Accaoui
dont la compagnie le stimulait, ce qu'il s'ex-
pliquait mal car Martha, malgré ses robes et
ses bijoux, n'avait aucun attrait... Alors que
la petite Parott par exemple était exquise...
Mais la fille d'un membre du corps diplomatique, surtout lorsqu'il s'agissait d'un Anglais, était, à ses yeux, sacrée.

Faute de mieux, il se rabattit sur le Consul
dont il appréciait le sérieux, sans doute parce
que celui-ci écoutait complaisamment des
monologues sans manifester d'ennui. Il l'en-

traîna sur un canapé et lui offrit du champagne.

— J'ai entendu que vous projetiez une excursion à Palmyre avec le Prince.

— Oui, dit le Consul qui, après sa cinquième coupe, se sentait d'un peu meilleure humeur. La semaine prochaine sans doute, pendant le week-end.

L'Ambassadeur se retourna pour s'assurer que personne ne se dissimulait derrière le canapé et, se penchant vers l'oreille du Consul, fort grande et tendue, il chuchota :

— Dites-moi — dans vos pays on est généralement bien renseigné — qui est le Prince ?

Le Consul réprima un sourire car le matin même il avait reçu du ministère des Affaires étrangères de son pays une note chiffrée lui enjoignant de s'enquérir sans délai des origines du Prince et du but de son séjour à Beyrouth.

— Je n'en sais pas plus que vous... pour l'instant. Plus tard, il se pourrait que j'apprenne quelque chose.

— Je vous serais très reconnaissant de m'en faire part.

— Comme d'habitude, dit le Consul en souriant largement cette fois.

— Comme d'habitude, confirma l'Ambassadeur.

Cette *habitude* s'entendait de livres d'une espèce particulière qu'un ami de l'Ambassadeur achetait pour lui et lui faisait parvenir par la valise : le Consul, sevré dans son pays

de ce genre de littérature, s'en montrait
friand. Après lecture, l'Ambassadeur les donnait au Consul qui lui épargnait en retour la
recherche fastidieuse d'informations diverses.

— En tout cas, reprit-il, je ne saurais trop
vous conseiller la méfiance à son égard : sa
physionomie ne me dit rien qui vaille et — il
hésita un instant — j'ai l'impression, mais
ce n'est qu'une impression naturellement, de
l'avoir déjà rencontré en Egypte ou en Grèce
sous un autre nom.

— Tiens, dit le Consul soudain intéressé.
Il y aurait combien de temps ?

— Quatre ou cinq ans.

— Le Prince est très jeune...

— Ou a-t-il l'air très jeune ?

Sur ce propos sibyllin, l'Ambassadeur vida
son verre de cognac.

— Le parc est merveilleux, dit le Prince.

Martha s'arrêta pour respirer à loisir l'odeur
pénétrante des eucalyptus.

— Est-ce la première fois que vous venez ?
demanda-t-elle.

— Hélène a eu la bonté de me convier déjà
à plusieurs reprises.

Martha retint un mouvement de contrariété
à l'idée de ces réceptions auxquelles elle
n'avait pas participé : le mécontentement
manifeste de Dora, sans doute dû aux mêmes
motifs, la réconforta un peu.

— Hélène reçoit beaucoup en effet, dit Martha d'un air songeur. Je me demande si ce n'est pas une manière de combattre l'ennui.

— Croyez-vous ? demanda le Prince, qui sembla étonné. Hélène m'a jusqu'à présent donné l'impression d'une personne fort occupée...

— Si courir d'un cocktail à un dîner est une occupation, certes, dit Martha.

— Cela m'a paru être le cas de la majorité de ces dames, remarqua le Prince. Font-elles autre chose ?

— Si elles le font, elles ne le disent pas en général...

Le Prince sourit.

— En effet... Mais vous-même ?

— Je fais beaucoup de sport, je voyage, je m'occupe de mes affaires... J'ai des exploitations d'arbres fruitiers, des pommiers dans la Bekaa et des orangers près de Tyr, que je dois surveiller. D'autre part, je fais contruire un hôtel à la montagne.

— Voilà bien des soucis pour une jeune femme, remarqua le Prince.

— Je préfère les soucis et l'indépendance...

Tout en marchant à côté du Prince, Dora s'évertuait à trouver quelque trait spirituel qui lui eût permis de prendre part à la conversation : elle-même ne faisait rien, ayant abandonné de vagues études d'art entreprises après un échec au baccalauréat, sinon essayer d'être invitée le plus souvent possible afin d'avoir des chances de rencontrer un homme

riche, beau, qui l'épouserait et lui offrirait
des bijoux semblables à ceux d'Hélène et de
Martha. Mais ces désirs n'étaient guère
avouables : elle ne se confiait qu'à sa meilleure amie, Elvire, qui les partageait.

Voyant Elie Maran seul, l'air morose, Hélène
alla s'asseoir auprès de lui.

— J'ai l'impression que tu es soucieux,
dit-elle.

— J'ai quelques ennuis en ce moment...

— Puis-je t'aider ?

Elie sourit un peu tristement : s'il avouait à
Hélène les difficultés qu'il connaissait depuis
qu'il avait perdu au jeu des sommes considé-
rables, elle lui proposerait assurément de lui
prêter ou même de lui donner ce dont il avait
besoin. Mais s'il s'engageait sur cette voie...
Non, il valait mieux essayer de soutirer le
plus d'argent possible à Hunter.

— Tu es gentille, dit-il. Pas pour l'instant... Je pense d'ailleurs que cela ne va pas
tarder à s'arranger.

— Espérons-le...

Hélène ne pouvait s'empêcher de se sentir
froissée du manque de confiance d'Elie :
après tant d'années d'amitié, pourquoi ne lui
avouait-il pas avec simplicité ce qui le tour-
mentait ? L'amitié entre eux n'était-elle qu'à
sens unique et Elie n'éprouvait-il à son égard
qu'une sympathie née de l'habitude ?

D'ailleurs parmi tous ceux qui l'entouraient ce soir s'en trouvait-il un auquel elle pût accorder le nom d'ami ? La plupart n'étaient-ils pas venus pour voir le Prince, dans l'espoir d'en être distingués, plutôt que par affection pour elle ? Sur le canapé qui lui faisait face, devant la baie qui ouvrait sur le jardin, l'Ambassadeur et le Consul bavardaient, riant souvent et buvant beaucoup : ces deux-là, par exemple, ne venaient-ils pas ici parce que la maison d'Hélène comptait parmi celles qu'il convenait de fréquenter, où la certitude d'y rencontrer l'élite de la société beyroutine leur faisait un devoir de paraître...

Passant par la porte-fenêtre, Ann Parrott suivie de Pierre Fakry s'avança vers Hélène.

— Ne nous aviez-vous pas annoncé un feu d'artifice ?

— Si, dit Hélène qui consulta sa montre. Il sera tiré dans une demi-heure environ, sur la pelouse : de la terrasse, vous le verrez parfaitement.

— Si nous parlions un peu de l'expédition à Palmyre, dit Pierre.

— Vous êtes des nôtres, Ann, n'est-ce pas ? demanda Hélène.

Ann sourit faiblement.

— Pierre m'a convaincue. Mais...

— Il a eu tout à fait raison, dit Hélène. Nous nous amuserons beaucoup.

Il fallait distraire la jeune fille de cette mélancolie qui ne la quittait pas : l'avant-veille, au cours d'un cocktail au Saint-Georges,

Richard Parott, un des admirateurs d'Hélène, l'avait priée de l'aider à guérir sa fille d'un état dépressif qui s'accentuait de mois en mois. Hélène avait promis de s'occuper d'Ann. Cette promenade en Syrie constituerait pour elle un excellent dérivatif.

— Il paraît qu'on a découvert une nouvelle tombe ces jours-ci, dit Pierre. Ce sera passionnant d'être parmi les premiers à la visiter.

— Qui vous a appris cela ? demanda Elie d'un ton brusque.

— Un archéologue allemand qui fait des fouilles dans la région et qui se trouvait hier de passage à Beyrouth. Il m'a indiqué l'emplacement.

— Il faut réserver les chambres à l'hôtel Zénobie...

— Je m'en occuperai, dit Elie.

Le Prince parut et aussitôt plusieurs personnes accourues des salons voisins l'entourèrent. L'air maussade de Dora Rawad indiquait assez que la promenade avec le Prince n'avait pas été un succès. Ayant abandonné l'Ambassadeur aux entreprises d'une personne entre deux âges, le Consul eut droit à des remarques acerbes :

— Vous m'avez vraiment donné une bonne idée, dit Dora.

— Est-ce ma faute si vous n'avez pu empêcher Martha de se joindre à vous ?

— Je croyais que vous deviez me faciliter les choses...

— Il est exclu, malgré toute ma bonne vo-

lonté, que je puisse neutraliser trente-sept invités pour vous permettre un tête-à-tête...

— Martha a parlé tout le temps, naturellement.

— Et le Prince ?

— Il l'écoutait.

— Eh ! bien, dit le Consul encourageant,
vous aurez plus de chance à Palmyre.

— Martha sera là aussi... Je compte sur
votre aide.

Le Consul sourit ironiquement :

— Elle vous est acquise d'avance, chère
Dora...

Un maître d'hôtel s'approcha d'Elie Maran
et l'avertit qu'on le demandait au téléphone.
Il prit la communication dans le boudoir
d'Hélène après en avoir fermé les portes.

— C'est vous, Elie ?

— Oui.

Elie avait reconnu la voix de Farid Ghassan.

— Il était assez difficile de vous joindre
ces jours-ci... Heureusement, je connaissais
l'emploi du temps de votre soirée... Me fuiriez-
vous ?

Elie s'épongea le front où perlaient des
gouttes de sueur. Il s'efforça à la désinvolture :

— Je n'étais pas très souvent chez moi...
Que voulez-vous ?

— Je ne pense pas avoir besoin de vous

fournir des explications. Je vous attends ce
soir au bar du Phénicia à minuit.

— On va tirer un feu d'artifice, dit Elie.
Si je pars avant qu'il ait lieu, on s'étonnera.
Disons minuit et demi.

— D'accord, dit la voix glacée de Farid
Ghassan.

Après avoir raccroché, Elie se laissa tomber dans un fauteuil ; il ne se sentait pas le
courage d'affronter les invités d'Hélène au
salon. Depuis une semaine il ne répondait plus
au téléphone dans l'espoir absurde que Ghassan se lasserait. Comme si des individus de
cette sorte renonçaient... Pour se trouver à
temps au rendez-vous — il n'osait pas prendre le risque d'indisposer Ghassan en le faisant attendre — il faudrait quitter Aley vers
minuit...

Installée devant une table basse sur laquelle
elle disposait des cartes en rangées parallèles,
Martha Accaoui, réputée pour ses prophéties
souvent exactes, disait la bonne aventure. Un
petit cercle d'intimes la consultait volontiers.
Elle annonça un voyage prochain à l'Ambassadeur, qui demeura perplexe.

— A qui le tour maintenant ? demanda-
t-elle en riant.

Pierre poussa Ann :

— Allez-y...

Ann s'assit docilement devant Martha, qui

la fit couper le jeu de la main gauche. Inté-
ressés, le Prince, Dora et le Consul se rap-
prochèrent.

Martha retourna deux cartes.

— Elles représentent votre passé, expliqua-
t-elle. Je vois un homme qui s'éloigne... mais
il ne s'agit pas d'un voyage... l'avenir à présent, tirez une carte...

Ann n'écoutait plus : après s'être des-
serré pendant quelques heures, l'étau se re-
fermait sur elle plus étroitement encore. Elle
avait envie de crier, de s'enfuir... D'une main
tremblante, elle saisit la cigarette qu'on lui
tendait. De nouveau, tous ces visages, familiers un instant plus tôt, se confondaient, les
voix se mêlaient dans un bruit indistinct...

Elle parvint à remercier Martha, à esquisser
un sourire et à se lever pour laisser sa place
au Prince. Elle quitta le salon, ouvrit la première porte qui se présentait et se trouva en
face d'Elie Maran.

— Je... commença-t-elle.

Les traits décomposés d'Ann, sa pâleur,
firent émerger Elie de l'état de torpeur qui
le clouait dans son fauteuil depuis l'appel
de Farid Ghassan. Il se leva vivement et fit
asseoir Ann.

— Qu'avez-vous ? demanda-t-il. Vous vous
sentez mal ?

Comme elle ne répondait pas, Elie ouvrit
le secrétaire transformé en cave à liqueurs
et versa du cognac dans un verre.

— Cela vous fera du bien.

Il la regardait avaler de petites gorgées, l'air absent. Peu à peu ses joues rosirent.

— Merci... je crois que j'ai eu un malaise.

— Quel genre de malaise ?

Les yeux noirs d'Elie la scrutaient avec un intérêt bienveillant.

— Un vertige...

— Trop d'alcool ?

— Je ne sais pas... Peut-être...

Pourtant, elle n'avait pas du tout l'impression d'être ivre, ce qui lui était arrivé deux ou trois fois autrefois après avoir bu des cocktails.

— Je me sens mieux maintenant.

Martha avait fini de consulter les oracles et Hélène appelait ses invités sur la terrasse pour le feu d'artifice. Le Consul aidait Martha à ranger les cartes.

— Vous m'avez paru embarrassée pour prédire l'avenir à votre dernier client, dit-il.

— Croyez-vous ?

Martha affectait un ton léger :

— Je pense qu'une carte qu'il a tirée vous a... gênée.

— Laquelle ?

— Le neuf de pique, dit le Consul en regardant Martha.

— Vous savez ce qu'elle signifie ?

— La mort.

— Exactement, dit Martha.

Le feu d'artifice commençait et les fusées rouges, vertes et jaunes qui embrasaient le parc d'étincelles éphémères en révélaient des aspects inhabituels qui épouvantaient les chiens d'Hélène, deux bergers allemands qui aboyaient avec fureur. Dans l'obscurité, Ann sentit qu'on lui prenait la main, qu'on la serrait doucement avec tendresse. Sans refléchir, elle répondit à cette pression et une pluie d'étoiles rouges éclaira quelques secondes le visage de Pierre.

— Où aviez-vous disparu ? chuchota-t-il.

A quelle impulsion avait-il obéi en accomplissant ce geste et comment Ann allait-elle l'interpréter ? Ce n'était pas de la pitié pour la souffrance qu'elle avait laissé deviner, ni du désir... Il avait envie de se tenir près d'elle, de la rassurer, de lui dire qu'il existait d'autres êtres... Ne cédait-il pas à la tentation de revivre sa propre angoisse à travers une autre, d'entraîner Ann avec lui sur des rives désolées, pour ne plus être seul...

— Vous nous offrez vraiment un spectacle magnifique, dit l'Ambassadeur à Hélène.

— Les soirées d'Hélène ne sont-elles pas les plus merveilleuses, dit le Prince.

Le visage impénétrable, comme à l'ordinaire, il souriait d'un air aimable. Courtoisement, il replaça sur les épaules de la jeune femme l'écharpe qui glissait.

« Que pense-t-il ? se demandait Hélène, quelle opinion a-t-il de ces gens ? Dora ne le quitte pas des yeux, Martha a bu plus que de raison, l'Ambassadeur n'a dit que des bêtises à table... Quel sentiment éprouve-t-il à mon égard, s'il en éprouve un ? N'y a-t-il pas quelque chose d'inhumain dans son attitude toujours égale, n'est-ce pas bizarre qu'il ne préfère ou ne semble préférer aucun d'entre nous ?... Après un mois de rencontres presque quotidiennes, je ne sais rien de lui... »

Le visage de Dora avait une expression boudeuse. Le Consul lui en fit la remarque à voix basse d'un ton un peu persifleur et faussement apitoyé.

— Je voudrais... soupira-t-elle.

Elle aurait désiré tant de choses : d'abord être libre de ses actes, comme Hélène ou Martha, ne pas être obligée de dire où elle allait, qui l'accompagnait... Surtout, posséder assez d'argent pour s'offrir les robes et les parfums dont elle avait envie, au lieu d'en être réduite à la mensualité ridicule que lui servaient ses parents : ils prétendaient qu'elle n'avait besoin de rien puisqu'elle était logée, nourrie et habillée... Habillée ! Il fallait voir comment ! Sa mère avait beau affirmer qu'une jeune fille devait être mise simplement de crainte d'effrayer les prétendants possibles, incapables au début d'une carrière de soutenir un grand train, Dora n'en était pas consolée pour autant et enviait les robes de ses amies plus fortunées. Le mariage... on en revenait toujours là, il n'existait évidemment pas d'autre solution. Gagner sa vie, Dora se rendait compte qu'elle en était bien incapable.

Elle ne savait rien faire et, d'ailleurs, elle ne souhaitait nullement travailler. Il fallait à tout prix épouser un homme riche... et si de surcroît il lui plaisait, comme le Prince...

— Chère Dora, dit le Consul, si je puis me permettre un amical conseil, dissimulez un peu vos sentiments pour le Prince... Je suppose qu'il a eu tout le loisir de s'apercevoir qu'il ne vous était pas antipathique... Laissez-le se manifester.

— Et s'il ne le fait pas ?

— C'est le jeu, vous devez vous soumettre à ses règles...

— Je n'ai pas d'atouts...

— Et la jeunesse ? Croyez-moi, ce n'est pas négligeable.

Dora fit la moue :

— Martha aussi est jeune...

— La trouvez-vous jolie, par hasard ?

— Affreuse !

Le Consul sourit en voyant Dora se rasséréner à cette idée : quelle pauvre sotte !

Les dernières lueurs du feu d'artifice mouraient dans les arbres. Après cette profusion de lumière, ces étincellements, la terrasse éclairée seulement par des bougies parut sombre, un peu mélancolique. Pendant un instant, les invités demeurèrent silencieux. A mille détails, on sentait que la fête était finie : ce qui pouvait encore se passer maintenant n'aurait pas d'importance. De nouveau, les serveurs circulaient, des mains se tendaient pour saisir des coupes. Mais l'entrain avait

disparu. Le ton des conversations baissait.
Le premier, l'Ambassadeur se retira. Plusieurs
personnes s'en allèrent à sa suite. On entendait
les portières des voitures claquer, les moteurs
ronfler.

D'ordinaire, Hélène eut tout mis en œuvre
pour retenir certains de ses invités jusqu'au
creux de la nuit et y fut parvenue sans peine.
Ce soir, l'envie de se retrouver seule la détour-
nait du moindre effort. Cependant elle eût
souhaité garder Elie : il demeurait souvent
le dernier et ils se plaisaient à commenter la
soirée, les intrigues, surprises, devinées, les
mille secrets de cette société si active dans
ses plaisirs, si entreprenante pour se les procurer. Elie s'avançait vers elle, plus sombre
encore, pour prendre congé.

— Tu ne veux pas rester ? demanda
Hélène.

— Je ne peux pas. Je dois... aller retrouver
quelqu'un.

A son air elle comprit qu'il ne s'agissait pas
de quelque aventure...

— Si tu as des ennuis... dit encore Hélène.

— Merci...

Martha errait d'un salon à l'autre, cher-
chant une proie : cette soirée infructueuse
la mettait d'une humeur affreuse dont Vera
ferait les frais. De temps en temps, elle aurait
souhaité une victime moins consentante, qui
ne plierait pas devant elle sans combat...
Même la crainte qu'elle inspirait ne l'amusait
plus... et à Palmyre s'amuserait-elle ? Elle

n'avait formé aucun projet pour le week-end et les seules distractions possibles, des bridges ou des cocktails, n'avaient rien d'excitant. Peut-être cette expédition briserait-elle un peu la monotonie de l'existence...

Martha s'approcha du groupe formé par la maîtresse de maison et le Prince, Elie et Pierre Fakry.

— Venez ici, dit Hélène au Consul et à Dora. Décidons d'un rendez-vous pour mettre au point notre voyage.

— Si nous nous retrouvions mercredi pour le déjeuner au bain du Saint-Georges ? proposa le Prince.

— Très bonne idée, approuva Pierre.

Hélène accompagna jusqu'à leur voiture ses derniers invités : le Consul, qui emmenait Dora, Martha qui partait seule au volant de sa voiture de sport et le Prince, qu'un chauffeur attendait auprès d'une Buick de louage.

Pierre ouvrit la porte de la voiture d'Ann :

— Allons donc boire un verre, proposat-il. Il n'est pas tard.

— Vous croyez ? dit Ann hésitante.

Pierre prit le parti de la brusquer.

— Direction « les Caves », dit-il. Je vous suis.

Et sans lui laisser le temps de répondre, il monta dans sa propre voiture.

Le dernier feu arrière disparut au bout de l'allée. Le silence et l'obscurité régnèrent de nouveau dans le parc. Hélène eut soudain envie de se promener pour chasser le début de migraine habituel après chacune de ses réceptions. Elle craignait tant que la soirée ne se déroule pas exactement selon ses prévisions, ou d'avoir oublié quelque détail indispensable... Cette tension l'épuisait.

Maintenant, elle pouvait respirer : la fête était terminée, et selon toute apparence, réussie. Demain, quinze coups de téléphone lui en confirmeraient le succès. Elle se dirigea vers la piscine et l'éclaira : des mégots souillaient le dallage, des verres traînaient sur la murette. Dégoûtée, Hélène gagna sa chambre sans repasser par les salons, qui présentaient sans doute le même aspect désolé.

Pendant que deux comprimés se dissolvaient dans un verre avec un gazouillis de bulles, Hélène retira sa robe et remarqua plusieurs taches. Elle en éprouva un mécontentement qu'elle jugea excessif : « Je deviens maniaque, se dit-elle, je m'exaspère pour des riens. Depuis quelque temps, mon univers se rétrécit. Je me replie sur moi-même, je fuis tout ce qui peut déranger la tranquillité de ma vie. Pourtant, trente-six ans, c'est encore l'âge de vivre. » Elle s'aperçut avec étonnement qu'elle ne désirait rien, ni personne. Le Prince, il excitait sa curiosité... et encore. Si elle n'apprenait jamais rien de plus à son sujet, elle en prendrait aisément son parti. Pourquoi les êtres ne l'intéressaient-ils pas plus ? Elle aimait bien la petite Parott, elle aurait volontiers fait quelque chose pour elle... Mais Pierre Fakry avait semblé s'occuper d'elle, pendant cette soirée tout au moins. Dans un cas semblable un homme valait mieux qu'une femme, si bien intentionnée fût-elle. Et Elie ? En pensant à lui, à ses allures mystérieuses, Hélène s'endormit.

BEYROUTH LA NUIT

L'air humide, presque frais d'Aley, devenait tiède, s'échauffait à mesure qu'on approchait de la ville. Les amis d'Hélène quittaient un lieu déjà atteint par les approches
de l'automne pour se replonger, en arrivant
à Beyrouth, dans la moiteur du plein été. Le
Consul commença à transpirer.

— Enlevez donc votre veston, dit Dora qui
avait ouvert toutes les fenêtres. On étouffe...

— Là-haut, la température était délicieuse,
soupira le Consul. Alors, votre impression sur
cette soirée ?

— Puisque j'ai pris l'habitude de tout vous
raconter, Dieu sait pourquoi, je peux vous
dire que je l'ai trouvée banale, conventionnelle.

— Banale ! s'exclama le Consul qui n'était
pas encore blasé par six mois de séjour dans
un pays où il avait l'impression de vivre un
rêve éveillé. Et le feu d'artifice ?

Et, avait-il envie d'ajouter, le champagne,
le foie gras, la piscine chauffée, tout ce luxe

qui l'enivrait lorsqu'il évoquait certaines périodes de sa vie passée.

— C'était un feu d'artifice comme tous les autres...

— Ah... et qu'entendez-vous par « conventionnelle » ?

— C'est difficile à expliquer... dit Dora. Ne vous semble-t-il pas qu'Hélène manœuvre ses invités comme des pions sur un échiquier ? On dirait que la soirée se déroule suivant un plan précis et qu'il s'agit de ne pas troubler l'ordre en s'attardant dans un endroit alors qu'on vous attend ailleurs pour passer à autre chose.

— Vous êtes fâchée parce qu'Hélène vous a demandé de sortir de la piscine... Il fallait bien dîner tout de même...

— Et si les invités n'en avaient pas envie à ce moment-là ?

— Cela aurait compliqué le service. Si chacun voulait dîner à une heure différente...

— Et puis, il ne se passe jamais rien d'imprévu.

Par bonheur, pensa le Consul. Les repas brusquement interrompus par des coups frappés à la porte, les fuites par les toits, il avait eu à maintes reprises l'occasion d'en goûter le charme.

— Dans les soirées romaines par exemple...

Le Consul rit :

— Vous avez vu *la Dolce Vita* ?

— Oui... C'est tout de même plus distrayant.

— Eh bien, plus tard, vous donnerez des soirées de ce genre si cela vous amuse.

— Plus tard... « Plus tard » arrivera-t-il jamais ?

— Vous êtes bien pressée...

— Je m'ennuie tellement !

L'envie de la gifler le démangeait quand il comparait l'adolescence de cette enfant gâtée à celle de sa sœur, morte à peu près à l'âge de Dora.

— Vous ne savez pas profiter de ce que vous avez.

— Je n'ai rien.

— Vraiment ?

Elle commençait à l'exaspérer. Il fallait se contenir, ne pas prononcer des paroles qui...

— Voilà, je suis arrivée, dit Dora. Merci de m'avoir raccompagnée. Je pense que je vous verrai bientôt : allez-vous au déjeuner de Georges à Saint-Simon ?

— Oui.

Le Consul embrassa Dora sur les deux joues et démarra quand la porte de l'immeuble se fut refermée.

A l'entrée de Beyrouth, Martha freina pour éviter un camion. Elle jura et de nouveau accéléra. La radio branchée depuis Aley à l'intensité maximum sur un concert de jazz, l'assourdissait, provoquait même chez elle une espèce de souffrance dont elle se délectait. Après cette soirée vaine, la violence l'habitait. Depuis quelque temps, elle n'avait plus l'impression de vivre mais de se décomposer, de se défaire. La radio qui hurlait à travers les rues chaudes, presque poisseuses, l'empêchait de penser. Elle conduisait trop vite, elle savait que l'alcool ralentissait ses réflexes. Un jour elle aurait un accident, tant pis pour elle. Qui s'en soucierait ?

Elle rangea sa voiture dans le garage au sous-sol de l'immeuble moderne où elle habitait, en bord de mer, et prit l'ascenseur jusqu'au huitième. Elle savait que Vera serait étendue sur le canapé du salon, une boîte de chocolats à portée de la main, en train de lire une de ces stupides histoires sentimentales qu'elle aimait ou de regarder la télévision.

— C'est toi ? cria Vera.

— Qui veux-tu que ce soit ?

Elle se demandait parfois si Vera ne recevait pas quelqu'un en son absence...

— C'était amusant ce dîner ?

— Comme d'habitude.

Martha s'assit et lança ses souliers au milieu de la pièce.

— Donne-moi un whisky.

Elle n'avait plus tellement soif mais elle avait envie de voir évoluer le corps souple et mince de Vera.

— Encore un nouveau pantalon, gronda-t-elle.

La jeune fille vint parader devant Martha,

allongeant la jambe pour laisser admirer le fin lamé rouge et or.

— Comment le trouves-tu ? N'est-il pas merveilleux ? Je l'ai acheté avec l'argent que tu m'as donné hier.

— Tu as déjà tout dépensé ?

Vera rit et s'assit sur le bras du fauteuil de Martha.

— Cela t'ennuie ?

Avec délice Martha perçut la senteur de citronnelle qui émanait d'elle, adoucie par la tiédeur de sa chair. Comment résister au sourire prometteur de Vera, au regard un peu vague de ses yeux noirs aux paupières bistrées, à la sensualité qui accompagnait chacun de ses gestes ?

— Tu n'as jamais envie d'autre chose que de robes, de pantalons ou de bijoux ?

— Non, dit Vera avec étonnement, pourquoi faire ?

Des toiles magnifiques ornaient les murs, des bibelots d'or, de jade et de malachite jonchaient les tables : certains étaient si beaux, d'une couleur si intense et transparente à la fois, qu'en les contemplant Martha se donnait l'illusion de descendre dans les fonds sous-marins. Vera ne leur accordait pas un coup d'œil...

— Mets un disque, dit Martha.

— Lequel ?

— Je ne sais pas... Choisis toi-même.

Un gros chat blanc sauta sur les genoux de

Martha, qui le caressa un instant avec indifférence.

— Cet animal a vraiment l'air stupide.

— Je l'aime, s'écria Vera. Il ne me reste
que lui du Caire...

Lorsqu'elle était venue s'installer chez Martha, elle avait apporté une petite valise écos-
saise et le chat dans un panier. Rien d'autre.

Martha sortit sur la terrasse qui prolongeait le salon. Il faudrait qu'elle donne un
cocktail ou un dîner un de ces jours, cela
faisait au moins deux mois qu'elle n'avait invité personne. Depuis que Vera... Elle l'emmenait quelquefois avec elle, la faisant passer
pour une petite cousine d'Egypte. Mais les
yeux des hommes se posaient sur la jeune
fille avec trop d'insistance.

Par la porte-fenêtre arrivait une musique
douce, assourdie, qui peu à peu apaisait Martha. Ou était-ce de voir Vera s'avancer vers
elle de sa démarche dansante de félin ?

— A quoi penses-tu ?

— A rien, dit Martha.

— Pas à moi ?

Martha sourit dans l'ombre :

— Cela te plairait ?

— Pourquoi pas ?

— Crois-tu que je dois tout le temps penser à toi ?

— Bien sûr... Ne m'aimerais-tu pas ?

— Non... je ne veux aimer personne. Surtout pas quelqu'un comme toi.

— Comme moi ?

— Tu n'as rien sauf ta beauté.

Vera s'approcha :

— Certains s'en contentent...

— Les hommes peut-être, dit Martha avec mépris.

— Alors pourquoi m'entretiens-tu depuis deux mois ?

— Par caprice, répondit Martha en bâillant. Maintenant je suis fatiguée, je vais me coucher.

— Je te rejoins ?

— Comme tu voudras, dit Martha avec indifférence.

Pierre guettait Ann à l'entrée des « Caves du Roi ». Peut-être avait-elle changé d'avis au dernier moment et ne viendrait-elle pas ? Soudain il l'aperçut et s'avança à sa rencontre.

— Je n'arrivais pas à trouver une place pour la voiture. J'espère que vous n'avez pas trop attendu...

La transparence inquiétante de son visage, l'air égaré du début de la soirée étaient moins visibles. Maintenant elle ressemblait presque à une personne réelle, de chair et de sang.

— Je ne suis pas venue dans un endroit de ce genre depuis longtemps, reprit-elle.

— Il ne vous arrivera rien, dit Pierre en lui passant autour du cou un collier de jasmin qu'un gamin vendait à la porte.

Ann sourit tristement :

— Il ne peut plus rien m'arriver... Merci pour le collier, j'adore l'odeur du jasmin.

Des siècles s'étaient écoulés depuis le soir où, entraînée par une autre main, elle avait pénétré dans ce monde obscur et animé, où le rythme versait un oubli passager. Elle s'étonnait de reconnaître le bar et même le visage familier du barman. Ce décor appartenait à un passé qui lui remontait à la gorge et l'oppressait. Il fallait l'écraser, le nier, par tous les moyens.

— Whisky ?

— Oui, dit-elle.

Pierre ne quittait pas Ann des yeux : en passant devant le bar, soudain elle l'avait effrayé. Il avait eu l'impression que son âme allait se briser en même temps que son corps fragile. Pendant une seconde, elle avait cessé d'exister...

Elle tâcha de sourire en le regardant. Cet effort si poignant, si digne, l'émut. Il prit sa main et la serra pour tenter de lui communiquer un peu de vie.

— Je ne suis pas une compagnie bien agréable, dit-elle. Vous n'auriez pas dû m'emmener.

A travers le brouillard qui l'isolait désormais des êtres, elle sentait qu'il essayait de l'aider, d'être gentil, tout cela sans manifestation de curiosité, au contraire des autres. Il devait comprendre qu'elle était consciente de cette amitié qu'il lui témoignait spontanément.

— Venez danser.

Ils se fondirent dans la marée des corps, refluant comme des vagues, baignés par une chaleur humide malgré l'air conditionné. De temps en temps Pierre apercevait un visage connu. Il faisait un signe, tandis qu'Ann ne semblait pas voir. Demain, tout Beyrouth saurait qu'ils avaient passé la soirée ensemble. Mais s'il l'avait emmenée ailleurs, au Beachcomber ou dans un stéréo, c'eût été exactement pareil.

— Vous avez abandonné votre ami Elie pour moi, dit Ann.

Pierre sourit :

— Nous nous quittons parfois... D'ailleurs, il était pressé de redescendre en ville : je crois qu'il avait un rendez-vous.

— Elie est sympathique... mais distant.

— Il est très secret : je le vois presque chaque jour sans pouvoir prétendre le connaître vraiment. Une partie de lui-même demeure hors d'atteinte...

— Comme s'il cherchait à dissimuler quelque chose...

Cette réflexion frappa Pierre : jusqu'à présent, malgré de nombreux signes, il n'avait pas voulu se poser certaines questions. Pourquoi Elie, quelques mois auparavant, lui avait-il demandé d'annoncer ses visites par téléphone, alors que Pierre avait coutume de venir à toute heure ? Si Elie était absent, il s'installait pour lire ou nettoyer quelque vitrine. Pourquoi plusieurs pièces rares avaient-elles disparu ? Lorsqu'il en avait fait la remarque, Elie s'était contenté de répondre évasivement. Et Elie n'achetait plus rien. Autrefois, s'il vendait un objet, c'était pour en acquérir un plus beau...

— En effet...

De graves ennuis d'argent ? On ignorait quelles étaient au juste les ressources d'Elie.. Il paraissait n'avoir d'autre occupation que d'accroître sa collection...

Ann et Pierre retournèrent à leur table et on leur servit d'autres whiskies.

— Voilà Georges d'Alvarez, dit Pierre.

Pierre le connaissait de longue date et appréciait sa conversation souvent brillante et toujours amusante. Georges poussait l'amour de l'Antiquité si loin que lorsqu'il entendait parler d'une découverte archéologique dans un pays voisin, il s'y rendait aussitôt, essayant d'entraîner des amis auxquels il s'évertuait de communiquer sa passion. Son érudition, en histoire ancienne, tenait du prodige et même Elie Maran avait recours à lui pour le classement chronologique de ses trésors.

Georges s'arrêta devant la table :

— Vous revenez de chez Hélène, je parie ?

— On ne peut rien te cacher.

— J'ai dû conduire mes parents à l'aérodrome à dix heures et je n'ai pu y aller. Comment était-ce ?

— Une très belle fête, comme toujours. Et le Prince en prime.

— Naturellement, dit Georges. Que pensez-vous de lui, Ann ?

— C'était la première fois que je le voyais et je ne peux pas dire que j'ai été bouleversée.

Les deux garçons rirent.

— Ma chère Ann, dit Georges, vous êtes un cas à Beyrouth : vous demeurez la dernière qui ne soit pas contaminée.

— Toutes ces dames s'étaient livrées à une débauche de robes en son honneur.

— Comment était Martha Accaoui ? Elle s'habille toujours de façon extraordinaire.

— Je ne sais pas pourquoi elle a éprouvé le besoin de faire venir de Paris un modèle de robe qu'Hélène portait il y a un mois chez le ministre de la Défense.

— Je me souviens très bien de cette robe, dit Georges. Quelle erreur de la part de Martha qui n'a pas l'élégance naturelle de notre chère Hélène ! Dora était là ?

— Escortée du Consul, comme d'habitude.

— Je me demande ce qu'il lui trouve... Etes-vous libres tous les deux pour déjeuner demain à Saint-Simon ?

— Avec plaisir, dit Pierre ;

Ann hésitait mais l'insistance des deux hommes finit par la contraindre à accepter.

— Ce sera un déjeuner exceptionnel, annonça Georges.

— Et pourquoi ?

— Un déjeuner en l'honneur du Prince, mais il n'y assistera pas : on parlera de lui.

Elie abandonna sa voiture aux mains du portier et s'efforça d'adopter une allure désinvolte : pourtant, il craignait tant d'indisposer Farid Ghassan qu'il aurait volontiers couru pour rattraper quelques secondes de son retard. Son cœur battait lorsqu'il s'assit en face du Syrien qui égrenait un chapelet d'ambre.

— La route était encombrée... commença Elie.

— Peu importe, coupa Ghassan. Avez-vous l'argent ?

Elie recula un peu sa chaise pour échapper au regard vif et cruel qui le scrutait.

— Non, dit-il. Pas encore.

Farid Ghassan ricana d'une manière déplaisante.

— Vraiment ! Et quand pensez-vous l'avoir ?

— Très vite... si l'affaire que je traite en ce moment se réalise.

— Je ne veux pas de « si ».

Elie haussa les épaules.

— Vous savez bien qu'il ne me reste pas cinq mille livres à la banque.

— Vos collections valent fort cher, me suis-je laissé dire : séparez-vous-en.

Atteint dans sa chair vive, Elie trouva l'énergie de riposter :

— En les vendant vite, je n'obtiendrai pas le quart de leur valeur.

Farid Ghassan acquiesça en silence et vida son verre.

— Je vous laisse jusqu'à lundi, dernière limite. Je vous attendrai ici à la même heure. Bonsoir.

Il se leva et quitta le bar en saluant une ou deux personnes.

Elie s'aperçut que ses mains étaient moites, tremblantes et sa langue sèche. Il commanda un cognac et s'épongea le front. A la table voisine des Américains riaient bruyamment, ne laissant ignorer à personne qu'ils arrivaient de Chicago et comptaient s'amuser le plus possible à Beyrouth.

Excédé par leur vulgarité, Elie se tourna vers la piscine dont on voyait le fond à travers les glaces transparentes du bar. L'eau agitée indiquait qu'un nageur au moins s'y ébattait à cette heure tardive. Une jeune femme colla un instant à la vitre son visage déformé par la réfraction, comme si elle voulait voir ce qui se passait à l'intérieur et son corps long et mince disparut.

Elie se surprit à éprouver une vague curiosité à son égard : puisque de toute façon il s'en allait, rien ne l'empêchait de passer par la terrasse où se trouvait la piscine.

La jeune femme sortait de l'eau et comme Elie se demandait de quelle manière l'aborder, elle l'interpella :

— Vous étiez au bar ?

— Oui. Je vous ai vue. Enfin, aperçue...

— De la piscine on distingue très mal ce qui se passe au bar.

Elle était jeune, assez jolie et parler avec un

inconnu à une heure du matin, vêtue seulement de quelques centimètres de toile bleu ciel ne semblait pas la gêner le moins du monde.

— Vous êtes libanais ? demanda-t-elle en s'essuyant les cheveux avec une serviette éponge.

— Oui. Je m'appelle Elie Maran.

— Moi Stella. Américaine.

Naturellement. Au Phénicia ne descendaient généralement que des Américains. Quelques gouttes d'eau luisaient encore sur les épaules de Stella, des épaules rondes et musclées de nageuse qui lui donnaient un air de santé extraordinaire.

— Comme vous avez raison de vous baigner à cette heure-ci, dit Elie avec envie.

— C'était merveilleux... Je sors de l'avion, il y a à peine deux heures que je suis là.

— Vous ne perdez pas de temps, dit Elie en souriant.

— Mais je ne veux pas perdre une minute ! s'exclama-t-elle. Je suis grisée : toutes ces lumières avant d'atterrir qui donnent l'impression d'arriver dans une ville en fête, cette chaleur qui vous prend et vous enveloppe dès que vous posez le pied sur le sol... Et maintenant ce bain solitaire sous le ciel d'Orient...

Comme cette jeune Américaine le changeait des autres, blasées de tout...

— Vous me faites penser à Daisy Miller découvrant Rome, dit-il.

Elle éclata d'un rire joyeux :

— C'est une histoire qui finit très mal, il
me semble ? Daisy ne meurt-elle pas ?

— Elle attrape en effet les fièvres pour
avoir trop aimé contempler les ruines romaines au clair de lune.

— Je ne crois pas que cela m'arrivera.

Déprimé toute la soirée par la perspective
de l'entrevue avec Farid Ghassan, Elie se sentait réconforté par la présence de Stella, sa
spontanéité, sa gaieté.

— Si vous n'êtes pas fatiguée, je vous propose un tour en voiture le long de la corniche.

Elle le regarda attentivement, comme si elle
essayait de le jauger.

— Volontiers, dit-elle. Je monte un instant
m'habiller et je vous rejoins devant l'hôtel.

En robe de chambre de soie rose, Dora
s'examinait dans la glace de la salle de bains,
détaillant chacun des traits de son visage avec
une sorte d'angoisse : pouvait-elle espérer
plaire au Prince et triompher de ses rivales
mieux armées ? Que faire pour capter l'attention de l'homme qui était l'attraction de Beyrouth depuis un mois ? Dora était prête sinon
à tout, du moins à beaucoup d'efforts. Elle
aurait bientôt vingt ans et sa famille la pressait de se marier : on lui proposait son cousin, garçon terne et ennuyeux dont les affaires
prospères assureraient à sa femme une vie
aisée. Si elle ne parvenait pas à trouver par

elle-même un parti plus attrayant, elle serait
réduite à épouser Samir. Cette pensée la désespérait, surtout depuis qu'elle connaissait
le Prince. Jamais elle n'aimerait son cousin,
esprit terre à terre dont les tempes commençaient déjà à se dégarnir et la silhouette à
s'alourdir. Pourtant, il n'avait que trente-deux
ans...

Heureusement, samedi on partait pour Palmyre. Elle trouverait bien le moyen d'être
seule avec le Prince. Mais il ne suffisait pas
de parvenir à s'écarter du groupe, manœuvre
que le Consul pourrait favoriser, encore fallait-il plaire... Dora se sentait envahie par un
immense découragement. Car si elle se voyait
parfaitement marchant aux côtés du Prince
dans les ruines, de préférence à l'aube ou au
crépuscule, elle était incapable d'imaginer une
conversation entre eux : comme elle enviait
Hélène et Martha qui avaient toujours quelque chose à raconter et la repartie facile ! Il
ne se passait pas de semaine que leurs
« mots » ne fussent reproduits dans les potins
de l'Orient. Tandis qu'elle...

Elle entendit des pas dans l'appartement,
ses parents rentraient du dîner de l'oncle
Wagih. Elle eut un geste d'agacement : sa
mère allait sûrement venir lui dire bonsoir
et la questionner sur la soirée d'Hélène.

En effet, quelques instants plus tard,
Mme Rawad pénétra dans la chambre de sa
fille sans frapper, ce qui était exaspérant. Elle
portait une robe de satin noir, d'une coupe

démodée qui la vieillissait, et Dora soupira en évoquant les robes des invitées d'Hélène.

— Alors, demanda Mme Rawad en s'asseyant lourdement dans un fauteuil, tu t'es bien amusée ?

Que répondre ? Comme si on allait dans les soirées pour *s'amuser*...

— Il y avait un feu d'artifice, dit Dora avec nonchalance.

Comme elle ne désirait pas être questionnée davantage, elle fit l'effort de paraître s'intéresser à l'emploi du temps de sa mère.

— Et chez l'oncle Wagih, comment était-ce ?

— Tout à fait bien, comme d'habitude, dit Mme Rawad avec satisfaction. Ton cousin Samir assistait au dîner et il a beaucoup regretté ton absence...

— Je ne pouvais tout de même pas manquer une soirée chez Hélène pour aller chez l'oncle Wagih ! s'exclama Dora avec indignation.

Jusqu'au dernier moment, elle avait redouté que ses parents — son père surtout, qui se montrait souvent fort autoritaire et contrariant — ne l'obligeassent à les accompagner à cette si ennuyeuse réunion de famille dont elle connaissait par cœur le déroulement sans surprise. Elle n'avait respiré qu'en entendant le coup de sonnette du Consul qui venait la chercher.

— Ta tante a servi une chawarma délicieuse, dit Mme Rawad avec un sourire d'aise.

Dora considéra sa mère avec un léger mépris :

— Chez Hélène il y avait du foie gras et du champagne rosé.

— J'espère que tu n'en as pas trop bu au moins ?

— Mais non, maman... Tu crois toujours que je suis un bébé...

La présence de sa mère lui pesait. Comment s'en débarrasser ? Elle avait envie de penser au Prince tranquillement et de mûrir son plan de séduction.

Elle se glissa dans son lit.

— Je suis morte, dit-elle en affectant une grande fatigue.

Mme Rawad se leva avec peine.

— Eh bien, je te laisse te reposer, ma chérie. Dors bien.

Et elle se pencha sur sa fille qui lui rendit sans entrain les deux rituels baisers du soir.

Le Consul gara sa voiture devant l'immeuble où il avait un modeste appartement meublé : c'était tout ce que lui permettaient les crédits octroyés par son gouvernement. Il éprouvait souvent de graves difficultés pour parvenir à faire bonne figure aux yeux d'une société qui ne concevait pas qu'on pût être pauvre. Parfois, avec une certaine amertume, il méditait le mot de Mme de Sévigné, parlant de son cousin Bussy-Rabutin : « Il a trouvé moyen de dépenser sans paraître. » En ce qui le concernait, il pouvait inverser les termes : il devait paraître sans dépenser. Et cette préoccupation gâchait une partie du bonheur inattendu et provisoire de vivre dans un pays de soleil et de liberté.

Absorbé dans ses pensées, il avait marché très vite et maintenant la sueur collait sa chemise de nylon contre sa peau moite. Il avait très soif et, à « la Volga », un petit bar où il avait ses habitudes, il but une bouteille de bière entière.

Irina, la patronne, s'approcha de lui :

— Alors, dit-elle avec l'accent que dix ans de séjour à Beyrouth ne lui avaient pas fait perdre, comment vas-tu ? Tu as l'air triste ce soir...

Le Consul esquissa une grimace :

— Viens t'asseoir et bavardons un peu.

Habib suffirait pour prendre soin de la seule table occupée et du couple au bar.

— D'accord, consentit Irina. Qu'allons-nous boire ?

— Pour moi, ce sera encore de la bière.

Pendant qu'Irina se levait, le Consul se retourna et sourit ironiquement à son image dans la glace : que penseraient les élégantes invitées d'Hélène Sawili en le voyant en manches de chemise, de larges auréoles de transpiration sous les aisselles, la cravate dénouée et une mèche en bataille qui, en lui retombant sur le front, accentuait encore l'allure équivoque de son personnage ?

Chez Irina, il se sentait à l'aise : il n'était pas contraint de se surveiller, de peser chacune de ses paroles, de s'efforcer de répondre à l'idée que les autres se faisaient d'un Consul.

De sa démarche un peu lourde, un peu lasse, Irina revint s'asseoir en face de lui.

— Comment a été la journée ? demanda-t-il.

La conversation avec Irina était simple, limitée au commentaire de faits bien précis, interrompue par de longs silences où chacun se laissait reprendre par un passé différent mais pareillement pénible. Presque chaque semaine, le Consul venait à « la Volga », tard, à l'heure où il était enfin libéré de ses obligations sociales, goûter le repos que lui apportait la présence apaisante et presque maternelle d'Irina. Pourtant, à peu de chose près, ils devaient avoir le même âge.

— Hier soir, disait Irina, plusieurs marins anglais sont venus. Ils faisaient escale quelques heures et sont repartis ce matin pour Istanbul.

Des marins anglais... le Consul se représentait de grands gaillards blonds, musclés, aux yeux clairs...

— Ils ont beaucoup bu, reprit Irina, ils sont restés jusqu'à la fermeture.

Il imaginait le reflet de leurs silhouettes dans toutes ces glaces habilement disposées sur les murs d'une pièce plutôt exiguë pour lui donner une fausse profondeur.

— Certains étaient très beaux, dit encore Irina.

Il devait avoir douze ou treize ans lorsqu'il avait brusquement pris conscience de son aspect physique. Chaque année, on photographiait les élèves du collège où il faisait ses études, classe par classe, dans la cour de récréation, par une journée ensoleillée de juin. Le surveillant les groupait devant un mur, sur trois rangs, selon leur taille. Naturellement, lui se trouvait toujours devant. Une fois il avait essayé de se glisser au dernier rang, à côté de l'un de ses camarades dont il enviait et admirait la force, l'assurance et une sorte d'air angélique. D'une bourrade, celui-ci l'avait repoussé à sa place en chuchotant à son voisin :

— Merci bien ! Je ne tiens pas à figurer sur la photo à côté d'un type aussi moche !

Il n'avait pas employé le terme *laid* ou *affreux* mais bien celui de *moche*. Et ce mot était devenu pour le Consul le synonyme de l'horreur... Il y avait si longtemps, et tant d'événements plus désagréables avaient eu lieu depuis... Pourtant il n'oublierait jamais cette petite scène. Elle avait marqué le début d'une période de souffrance qui durait encore. Avant, il lui semblait qu'il avait été relativement heureux.

Et maintenant, dans ce pays de cocagne, le bonheur n'était-il pas à portée de la main ? Ou bien était-il déjà trop avancé sur l'autre versant de la vie pour accéder à ce bonheur poursuivi en vain, avec une avidité inutile qui lui avait grignoté l'âme. N'avait-il pas commis pour y parvenir des actes dont le souvenir l'empêcherait à jamais d'y goûter ?... Alors tout cela n'avait pas grand sens...

— Je prendrai encore une bière, dit-il à Irina qui chantonnait à mi-voix.

Elle le considéra de ses yeux tristes et bienveillants :

— N'aimerais-tu pas quelque chose de plus fort ?

— Il fait trop chaud et j'ai suffisamment bu ce soir.

De nouveau Pierre entraînait Ann sur la piste. Sans être gaie, elle n'avait plus ces fréquentes absences du début de la soirée. Puis il commençait à éprouver un certain plaisir à tenir dans ses bras ce corps doux et abandonné, à sentir cette joue d'enfant contre la sienne. L'odeur du jasmin s'exhalant en effluves chaleureux au contact de la peau d'Ann l'enivrait aussi un peu. Il se demandait si elle désirait rentrer ou rester avec lui dans cette atmosphère surchauffée où la musique enveloppait les couples et les isolait au sein de la foule. De temps en temps, il cherchait son regard. Il avait l'impression qu'elle essayait de se rapprocher de lui, d'entrer en communication avec lui. Soudain elle lui sourit et il remarqua que ce sourire n'était plus contraint, qu'il n'y entrait plus ce mélange de réserve et de désespoir. Il la serra contre lui avec une grande bouffée de tendresse.

Ann avait oublié qu'elle existait, qu'elle était Ann et souhaitait mourir. Comme si, par une sorte de miracle, elle avait réussi à sortir d'elle-même et à chasser pour quelques instants l'obsession qui ne lui accordait jamais de répit. Bien sûr, tout recommencerait lorsque les effets de cette magie se dissiperaient et qu'il faudrait de nouveau s'accommoder de la réalité. Elle avait envie de dire à Pierre qu'il lui faisait du bien mais elle ne savait comment exprimer cela autrement qu'en se laissant aller avec docilité dans ses bras. Qu'aurait-il pensé d'ailleurs d'un pareil aveu ? Bien qu'il dût supposer le contraire, elle n'éprouvait aucun désir à son égard, son corps était frappé d'insensibilité. Un instinct de conservation l'avait poussée à le suivre ce soir...

Pourquoi s'intéressait-il à elle ? Au fond cela lui était bien égal : à cause de la présence amicale de Pierre le monstre s'éloignait un instant et cela suffisait. Elle perdait la notion du temps et tant qu'elle demeurerait dans cet état indécis, qui durerait peut-être jusqu'à l'aube, elle ne souffrirait pas. Lorsqu'ils se retrouvèrent à l'air libre, aussitôt assaillis par la chaleur de l'extérieur, elle vit qu'il était plus de trois heures.

— Vous voulez rentrer déjà ? Nous avons le temps...

— En effet... J'ai l'impression que je ne pourrai pas dormir après ce bruit et cette agitation.

— Alors je vous offre l'hospitalité de ma terrasse au neuvième étage.

— Pourquoi pas ?

Ce n'était pas de l'enthousiasme de sa part mais elle le suivait. Elle monta à côté de lui et baissa les vitres. En roulant à faible allure le long de la corniche, ils dépassèrent une auto arrêtée.

— On dirait la voiture d'Elie Maran, s'exclama Pierre, surpris.

Ils distinguèrent bientôt deux silhouettes, celle d'Elie et d'une jeune femme inconnue.

— C'est étrange... A l'air sombre d'Elie on ne se serait guère douté que le rendez-vous auquel il faisait allusion chez Hélène fût de cet ordre !

— Elie est un cachottier : je vous l'avais bien dit tout à l'heure.

— Je lui demanderai demain avec qui il contemplait les étoiles à une heure tardive...

Pierre occupait un confortable studio prolongé par une terrasse de dimension presque égale, au sommet d'un de ces immeubles modernes qui avaient poussé en désordre du côté de Chouran les années précédentes. Il fit glisser sur son rail le panneau vitré qui ouvrait sur l'extérieur.

— Installez-vous, dit-il. Je vais chercher à boire.

Ann s'étendit sur les coussins et les mate-

las de plage qui jonchaient le sol, après avoir
regardé la ville qui scintillait à ses pieds. Elle
entendit claquer la porte d'un frigidaire, le
bruit des glaçons qui tombaient dans les verres et elle éprouva une sensation de bien-être.

— Je vous ai préparé une boisson de ma
composition, dit Pierre en revenant. Du jus
de goyave, d'ananas avec du rhum et une
pointe de vodka.

Une expression d'ironie, qui avait dû lui
être habituelle, se peignit sur les traits de la
jeune fille :

— Ce doit être exquis...

Pierre s'allongea à côté d'elle après avoir
retiré son veston.

— Sentez-vous l'air frais qui vient de la
mer ?

— Oui, dit Ann. C'est très agréable chez
vous.

— Je dors souvent sur la terrasse...

— Cela m'est arrivé aussi...

Pas très souvent. Peut-être une dizaine de
fois pendant les absences de son père, qui
allait de temps en temps à Amman ou à
Bagdad. Elle disait aux domestiques qu'elle
passait la nuit chez une amie. Geoffrey l'attendait. Ils allaient dîner chez Ajami ou au Gre-
nier puis ils rentraient s'allonger sur une terrasse, semblable à celle-ci. Ils bavardaient,
écoutaient des disques, buvaient du champagne dont Geoffrey raffolait, ce même champagne rosé que servait Hélène, et s'aimaient avec
lenteur dans la douceur tiède de la nuit. A

cette époque, Ann avait eu la certitude que
la vie était autre chose qu'une sorte de scène
de théâtre où l'on jouait un rôle plus ou moins
long et réussi, plus ou moins applaudi, pour
s'éclipser ensuite définitivement dans les cou-
lisses. Cette certitude l'avait soudain quittée,
sans qu'elle comprît bien pourquoi. Maintenant, il fallait se rendre à l'évidence : on
vivait en attendant que ce soit fini, en
essayant de se distraire tant bien que mal...

Une main prit la sienne et la serra :

— Je sens que tu t'en vas... Où es-tu ? A
quoi penses-tu ?

— A la mort, dit Ann.

— En as-tu peur ?

— Non... au contraire.

— En fait, elle n'a pas beaucoup plus d'importance que la vie.

— Je me demande toujours, dit Ann en se
dressant sur son coude, s'il existe vraiment
quelque chose d'important, quelque chose
d'autre que tous ces hochets avec lesquels ils
s'amusent souvent jusqu'à la folie...

— L'argent, la politique, les honneurs, la
religion, les passions...

— Oui, dit Ann, tout cela. Ou bien les
vices...

— Ce sont d'autres passions... Je ne sais
pas. Je voudrais pouvoir te le dire, mais moi
je n'ai rien trouvé. Peut-être que d'autres...

— Quels autres ? dit Ann avec lassitude.
En général il est même impossible de communiquer avec eux.

— Ils n'écoutent pas ou ne veulent pas entendre. C'est moins douloureux de perdre conscience, de s'abîmer dans la dispersion : pourquoi veux-tu les obliger à penser ?

— Tu as raison...

Elle lui sourit :

— Dora par exemple...

— La pauvre Dora qui aimerait tant que le Prince la remarque, s'éprenne d'elle et l'épouse.

— Toutes ces jeunes filles que nous voyons attendent-elles autre chose que d'être choisies, aimées si possible, en tout cas couvertes de bijoux et conduites à l'autel pour la plus grande satisfaction de leur famille ?... Ensuite, elles pourront se reposer jusqu'à la fin de leurs jours de l'effort une fois consenti de plaire... Moi-même...

— Tu n'es pas comme ça, dit Pierre vivement, tu ne peux pas être ainsi.

— Non... pour l'instant.

Et si elle se laissait aller ? Il suffirait de suivre le courant, et tout naturellement les choses se passeraient ainsi. Elle serait dispensée de vivre... Mais il lui restait encore un peu d'énergie pour refuser, pour choisir.

— Et toi ? demanda Ann, comment es-tu ? Ou plutôt qui es-tu ?

— Je ne sais pas... Je pourrais te répondre que je suis un être sans problèmes, apparemment bien intégré dans la société : j'ai fait de bonnes études, aucun conflit sérieux ne m'a jamais opposé à mes parents, je travaille

dans les affaires de mon oncle auquel je suc-
céderai. La voie est tracée... Je peux aussi te
dire que tout cela m'ennuie, que j'éprouve
quelquefois des envies forcenées de liberté :
je les refrène puisqu'il m'est impossible, à
cause de ma famille, de tout abandonner et de
partir.

— Où voudrais-tu aller ?

— J'ai besoin de m'aérer, de courir le
monde pendant un an au moins, de rencontrer
des gens différents que j'essayerais de comprendre, de ressentir des impressions nouvelles, de subir des chocs qui peut-être m'en
apprendraient davantage sur moi-même : à
part l'archéologie, je n'ai aucun goût pour une
activité particulière, rien ne me pousse dans
une direction plutôt que dans une autre. Je
souffre d'un manque de vocation.

— C'est terrible de n'avoir envie de rien,
dit Ann, alors que tous les gens qui nous
entourent ne cessent de désirer quelque chose.

— Généralement, ils veulent de l'argent.

— C'est vrai... Bien peu parmi eux souhai-
tent le génie, l'héroïsme, la sagesse, bref, un
destin exceptionnel.

— Crois-tu, demanda Pierre, qu'on puisse
choisir d'avoir un destin hors série ? Si on a
les dons, les aptitudes, si les circonstances en
permettent l'épanouissement, on peut l'accepter ou le refuser. C'est tout. Comment le créer
à partir de rien ?

A l'âge de quinze ou seize ans, comme beaucoup de jeunes gens, il s'était cru doué pour

écrire. Il avait composé des poèmes, une pièce
de théâtre, commencé un roman. Il avait
abandonné ces tentatives sans oser jamais
montrer ses essais. Un soir, il avait sorti quelques feuillets du tiroir où ils étaient rangés
depuis une dizaine d'années. Il avait pensé que
leur lecture intéresserait Sandra. Au dernier
moment, il s'était ravisé. Il avait aussi bien
fait...

— En somme, tu n'es pas très heureux ?

— Non, dit Pierre surpris, cela a-t-il de
l'importance ? En fait, je n'ai aucune raison
précise d'être malheureux.

— Moi si...

— En ce moment, dit Pierre. Et puis, on
finit par oublier. Tout. Même ses cicatrices.
Crois-moi.

— Je pense que tu as raison. Mais pour
l'instant, je ne peux pas te croire. Il y a des
moments...

De nouveau, elle eut son regard de noyée,
d'être en détresse. Il se rapprocha d'elle et
caressa doucement son épaule, d'un geste
apaisant et régulier, comme il l'aurait fait
pour un enfant.

— Ne pense pas, dit-il. Tu vois, ce soir tu
as commencé à guérir.

— Peut-être, dit-elle tristement.

Pour la première fois, en effet, le visage de
Geoffrey, devenu flou, s'était éloigné un peu.
Mais maintenant, comme pour se venger de
cette distraction, il revenait vers elle, plus
vivant, plus présent que jamais. Elle aurait

pu crier comme une bête attaquée par les chiens dans la forêt, qui sait qu'elle ne se relèvera pas. Pourtant, elle sentait les lèvres de Pierre qui entrouvraient les siennes, son bras qui l'enserrait et cette chaleur qui venait de lui. A quoi servait tout cela ? S'il s'était montré brusque, elle l'aurait repoussé. Mais cette gentillesse tendre lui faisait du bien. Elle avait envie de demeurer seule dans le noir, pour souffrir à loisir, pour se délecter de chaque instant de sa souffrance. Et en même temps, sans qu'elle comprît comment on pouvait éprouver deux sentiments si contraires, elle souhaitait désespérément qu'on s'occupât d'elle, qu'on la tirât de force de cet isolement, qu'on la rassurât. Son corps lui-même, bien qu'elle fût obsédée par la pensée de Geoffrey, tenaillée par les griffes du souvenir, lui échappait : habitué au plaisir, il se laissait emporter par cette étreinte au goût d'agonie.

La nuit pâlissait. Là-bas, au bout de la mer, un autre jour naissait.

— Il ne faut pas pleurer, dit Pierre en buvant une larme sur le visage d'Ann. Je ne connaissais pas d'autre moyen de t'arracher à ta solitude...

BEYROUTH LE JOUR

Pierre déposa Ann devant sa porte et but un café avant de pénétrer dans l'immeuble de la Jawad Nakal C°. L'oncle avait donné son nom à l'affaire devenue florissante, qui occupait maintenant trois étages.

— Il vous a réclamé deux fois, dit Leila, la secrétaire.

Pierre haussa les épaules et entra dans son bureau, que l'oncle avait voulu contigu au sien. A l'idée de voir le visage rouge et gras, d'entendre la voix exécrée, il eut presque la nausée. Il supportait de moins en moins une profession qui ne l'intéressait pas et la tyrannie de son oncle.

A peine assis, il fut convoqué chez celui-ci. Exceptionnellement, Jawad paraissait de bonne humeur.

— Imagine-toi que le terrain de Jnah est à vendre maintenant, dit-il en se frottant les mains, et devine à quel prix ?

Pierre fit l'effort suffisant pour simuler l'intérêt pendant que sa pensée errait ailleurs.

Combien de temps encore faudrait-il écouter les discours de l'oncle, approuver chacun de ses propos, même lorsqu'ils étaient absurdes ?

Tandis que Jawad exposait des projets grandioses, l'imagination de Pierre vagabondait, s'enfonçait dans une jungle familière et hostile et s'y frayait un chemin à coups de machette. Des lianes pendaient de toutes parts, l'enserrant parfois de leurs tentacules, serpents végétaux qui en dissimulaient de véritables, comme le serpent corail, le plus venimeux de tous, qui pouvait choir sous ses pas et se dresser soudain, dardant sa langue mortelle. Le bruit régulier qui parvenait à ses oreilles déjà emplies du bruissement de la forêt n'évoquait qu'à peine celui du ventilateur qui brassait la moiteur tropicale sur le bureau d'acajou brillant du gros homme qui gesticulait en face de lui... Il ne distinguait plus nettement son visage... Autour de Pierre la végétation s'épaississait et la sueur ruisselait de son front, de ses aisselles, de son ventre.

— Tu écoutes ce que je te dis ? demandait une voix.

Pierre entendait à peine mais répondait :

— Oui, oui...

Affirmation qu'il fallait bien prononcer de temps à autre. Seul dans la forêt, sa progression devenait de plus en plus pénible, dangereuse. S'il se perdait, malgré le sens de l'orientation qui l'avait guidé jusqu'à présent...

Suivant les jours, la marche dans la jungle

se prolongeait plus ou moins longtemps. Parfois, des incidents se produisaient : il y avait
des chutes d'arbres, des rivières à franchir
qui entravaient sa marche. Il rencontrait des
indigènes ou des animaux qu'il fallait appri-
voiser sur-le-champ ou tuer... Le naturel de
Pierre inclinait plutôt aux solutions pacifi-
ques...

— Et lorsqu'il m'a dit : je te le vends...

Enfin, le moment du triomphe approchait,
une fois de plus, le miracle était sur le point
de se produire : aux yeux éblouis de Pierre,
le temple maya encerclé d'immenses troncs
d'arbres, la pyramide inconnue, la statue co-
lossale d'un dieu de granit rose, allaient appa-
raître dans leur splendeur inviolée. Car il fallait être le premier à faire cette découverte,
dont la célébration était devenue une sorte de
rite à son usage propre.

J'ai toujours vécu là-bas, ailleurs
Dans les jardins où s'élèvent les pyramides
J'ai glissé sur des fleuves d'un vert laiteux,
Qui coulent le long du désert qui ondule
Devient la mer, une forêt humide au souffle
    puissant.

Tous ces lieux chimériques et flous
Sont maintenant plus réels, habitables
Que les carrés bien tracés
Les lignes droites qui se croisent
Sous un soleil éteint
Ici les couleurs sont mortes

Je vis ailleurs, là-bas
Où les pierres ont échappé
A la froide conscience d'un architecte
Pour n'être plus que le délire
Des serviteurs du dieu
J'ai vu son masque colossal, là-bas dans la
    montagne
Et son regard est encore vivant...

— Cette fois-ci, j'ai décidé de t'intéresser directement à l'affaire...

Le temple s'évanouit au fond de la forêt qui devint tout entière d'acajou. La table de l'oncle étendit de nouveau sa surface polie à quelques centimètres de Pierre.

— C'est un projet très intéressant, dit-il enfin.

Le téléphone sonna, le libérant. Il regagna son bureau : quatre longues heures s'écouleraient encore avant qu'il ne puisse s'enfuir, et retrouver Ann, se baigner. Il s'étonna d'éprouver du plaisir à évoquer la silhouette fragile de la jeune fille, ses yeux tristes, la teinte pâle de sa peau d'Anglaise, douce et lisse, qui ne parvenait pas à capter le soleil éclatant de l'Orient...

— Je sors, dit Dora Rawad à sa mère.

Allongée sur la terrasse, celle-ci s'éventait et buvait de temps en temps une gorgée de citronnade glacée, posée à portée de sa main sur une table basse incrustée de nacre.

— Encore ! soupira Mme Rawad. Tu ne peux donc pas rester en place ! Quelle idée de sortir par cette chaleur...

Dora considéra les grosses jambes enflées de sa mère et les pieds chaussés de babouches rouges à filets dorés.

— Je vais voir Elvire...

— Ah ! ta merveilleuse Elvire ! On dit qu'il y a un mariage sous roche ?

Ce sujet de conversation, cher à Mme Rawad, déplaisait particulièrement à sa fille.

— Peut-être, dit-elle du bout des lèvres. Elle n'est pas décidée.

— Vous êtes toutes devenues si difficiles ! dit Mme Rawad en s'éventant de plus belle : (l'effort de soutenir une conversation, surtout avec Dora qui avait l'esprit de contradiction, la mettait en nage). De mon temps, nous étions bien contentes d'être demandées en mariage et pour peu qu'il s'agît de quelqu'un de sympathique, l'affaire était faite.

— Justement, rétorqua Dora, de nos jours le mariage n'est plus une affaire.

— On croit cela, ma pauvre enfant...

— Et ensuite, je vais déjeuner chez Georges d'Alvarez à Saint-Simon.

— Qui y aura-t-il ?

Toujours les mêmes questions exaspérantes !

— Comme d'habitude : Hélène Sawili, le Consul, Ann Parott, Pierre Fakry...

La liste des noms familiers, surtout celui d'Hélène, qui passait pour une personne vertueuse, apaisa les inquiétudes de Mme Rawad.

— Amuse-toi bien, ma chérie, ne t'expose pas trop au soleil sur la plage.

Ayant accompli son devoir de mère, elle se replongea dans la lecture de *Magazine* qui relatait les événements mondains de la semaine à Beyrouth.

En allant chez Elvire, son sac de plage au bras, Dora s'attarda devant les vitrines. Tous les objets exposés suscitaient son envie : elle se sentait frustrée à la vue de ces vêtements, de ces sacs et de ces bijoux qu'elle ne pourrait jamais acheter, à moins de faire un riche mariage. Même si elle cédait à l'insistance de ses parents et épousait Samir, il serait bien incapable de lui offrir le quart de ce qu'elle désirait... Dans ces conditions, pourquoi s'encombrer toute sa vie de ce gros garçon ennuyeux qui ne lui parlait que de son avancement et de ses rapports avec ses supérieurs ? Dora laissa échapper un profond soupir. Prise de commisération pour elle-même, elle comparait le sort qui l'attendait à celui de sa cousine Michelle, la sœur de Samir, qui avait été une assez jolie jeune fille, mince, vive, les yeux malicieux et gais. A dix-huit ans, elle s'était laissé marier à un ingénieur agronome qui travaillait au Plan Vert. Après six ans d'une existence conjugale parfaitement monotone, Michelle, pourvue de quatre enfants, habitait toujours le même appartement de trois pièces

où elle s'était installée au début de son mariage, menait une vie étriquée, épuisante, et
sans grandes possibilités d'amélioration. Elle
commençait à ressembler à sa tante Mme Rawad : si elle n'avait pas encore atteint son tour
de taille, elle avait déjà les jambes enflées et
des varices. Marraine du troisième enfant de
Michelle, Nayla, Dora espaçait le plus possible ses visites : cette heure perdue au milieu
des cris et des disputes l'épuisait et l'exaspérait. Quoi, c'était *cela* qui l'attendait ? Une
cuisine où s'empilait la vaisselle sale, une
salle de bains où les couches n'en finissaient
jamais de sécher, des enfants qu'il fallait
laver, changer, moucher sans répit... Autant
se jeter tout de suite dans la mer du haut de
la Grotte aux pigeons ! Si elle épousait le
frère de Michelle, pourquoi sa vie serait-elle
différente de celle de sa belle-sœur ? Peut-être
parviendrait-elle à avoir moins d'enfants,
peut-être aurait-elle assez de volonté pour
manger moins de sucreries et de gâteaux...
Au fond, Dora comprenait Michelle : quel
autre plaisir lui restait-il que de satisfaire sa
gourmandise, puisqu'il ne pouvait être question de sorties, de voyages et de robes encore
moins ?... Pour comble, Dora avait aperçu une
quinzaine de jours auparavant le mari de sa
cousine sortant du cinéma, accompagné d'une
petite brune avec qui il semblait fort se diver-
tir. Jusqu'ici, elle avait résisté à l'envie de
parler de cette rencontre à la pauvre
Michelle...

Elvire lisait une lettre dans sa chambre, deux fois plus grande que celle de Dora. Elle s'étira avec grâce et sourit à son amie.

— J'ai reçu une lettre de Robert...

Robert était un jeune homme de bonne famille malheureusement un peu artiste, qui courtisait Elvire avec l'assentiment peu enthousiaste des parents de celle-ci. Ils auraient préféré lui voir choisir un autre parti : un veuf sans enfant, d'une quarantaine d'années qui possédait un florissant commerce de tapis, un bel appartement à Beyrouth, une résidence d'été à Bhamdoun et une Mercedes 220.

— Des amis l'invitent à passer un mois en Italie... Il va probablement accepter... Il m'avait pourtant promis d'être avec nous du voyage à Rhodes qu'organise Josette...

Dora prit une expression de circonstance mais elle n'était pas mécontente de voir son amie déçue : il était juste, après tout, que des choses désagréables arrivent aussi aux autres gens.

— Tu iras quand même ?

— Ce qui m'amusait était d'y aller avec lui... Toute seule...

— Tu as d'autres amis dans le groupe.

Elvire haussa les épaules :

— Si au moins tu venais, dit-elle en commençant à se limer les ongles.

Dora avait supplié ses parents de la laisser partir pour Rhodes : mais les conditions du charter, bien qu'avantageuses, leur paraissaient encore excessives et ils ne voyaient pour l'instant aucune raison de faire ce cadeau à leur fille.

— Je pense, dit Dora d'un air négligent, que j'irai plutôt à Palmyre.

Elvire cessa de se limer les ongles.

— A Palmyre ?

— Hélène Sawili et le Prince y organisent une excursion le prochain week-end.

— Tu connais le Prince ?

Les yeux d'Elvire n'étaient plus que deux points brillants, dévorés de curiosité et d'envie.

— J'ai dîné encore avec lui hier soir...

— Comment est-il ? J'ai vu sa photo dans *la Revue du Liban*...

— Très beau, charmant, intelligent...

— Et riche sans doute ?

— Très.

Elvire parut un instant rêveuse :

— Vous serez nombreux ?

Visiblement, elle cherchait à se faire emmener. Dora lui retira aussitôt cet espoir :

— Huit seulement. Les participants sont déjà choisis.

Consternée, Dora s'aperçut soudain qu'elle avait oublié d'informer ses parents de ce projet : s'ils n'accordaient pas leur autorisation, de quoi aurait-elle l'air ? Elle se réconforta en pensant que cette excursion étant peu coûteuse, ses parents n'auraient aucune raison de refuser.

— Tu as de la chance, dit Elvire.

Dora prit l'air modeste, sans parvenir tout

à fait à cacher sa satisfaction d'être, pour une fois, enviée par Elvire. Les parents de son amie se montraient très généreux avec leur fille unique : elle avait déjà fait plusieurs voyages et possédait une Austin. Dora éprouvait parfois l'impression déplaisante d'être traitée avec une certaine condescendance par Elvire, qui pouvait cependant faire preuve de gentillesse : elle prêtait fréquemment des robes à son amie et l'invitait beaucoup. Dora ne pouvait le faire aussi souvent. Maintenant, ses relations avec le Prince la plaçaient sur un piédestal dont elle saurait bien ne plus descendre. Si seulement elle parvenait à l'intéresser...

— Mais d'où vient-il ce Prince ? reprit Elvire. D'abord sa nationalité ?

Dora l'ignorait.

— Il sait le français, l'anglais, l'arabe et le russe, dit-elle. Peut-être encore d'autres langues.

— Va-t-il s'installer à Beyrouth ?

— Il habite le Carlton et il ne paraît pas chercher à louer une maison.

— En allant me baigner à la piscine du Carlton, je pourrais le rencontrer ! s'exclama Elvire.

— Je ne crois pas qu'il se baigne beaucoup, dit-elle. Hier soir, chez Hélène, il était un des seuls à ne pas le faire.

Il y eut un silence.

— Et le Consul ? Tu le vois toujours ?

— Il m'a accompagnée à la soirée d'Hélène hier.

— Il n'est pas très séduisant, remarqua Elvire.

— Oh !... Il est gentil, je l'aime bien. Nous déjeunons ensemble chez Georges d'Alvarez tout à l'heure.

— Et le Prince ?

Dora prit l'air vague :

— Je pense qu'il est invité aussi... Et toi, que fais-tu ces jours-ci ?

Elvire ricana :

— Mes parents donnent un grand dîner ce soir pour le *veuf*. Regarde la robe qu'il m'ont offerte...

Elvire se leva et ouvrit sa penderie. Elle en sortit une somptueuse robe de soie jaune, entièrement rebrodée d'or.

Dora s'écria avec admiration :

— Elle est magnifique !

Cette robe-là, Elvire ne la lui prêterait certainement pas...

— Où en es-tu avec lui ?

— Il vient à la maison une fois par semaine et m'apporte un cadeau à chacune de ses visites.

De la main, Elvire désigna une très belle opaline sur sa coiffeuse et fit tinter à son poignet les turquoises d'une gourmette en or.

— C'est toujours bon à prendre, remarqua Dora. Si au moins Samir avait l'intelligence d'en faire autant !

— Il ne te donne rien ?

— Des babioles. Des fleurs, des chocolats. Rien d'intéressant.

— Il faut le lui suggérer, dit Elvire. Voilà comment je m'y prends avec mon veuf. Je lui dis : « Oh ! ce matin je suis passée devant la boutique indienne près du Saint-Georges et j'ai vu une opaline ravissante ! » La semaine d'après, il m'en fait cadeau. Naturellement, je le félicite de deviner si bien mes goûts.

— Samir est trop sot pour comprendre des allusions de ce genre...

— Ou trop avare...

— Ce n'est pas exclu... Je te quitte, je dois aller faire une ou deux courses avant le déjeuner. On se téléphone ce soir.

Sur la terrasse de sa chambre, Hélène Sawili achevait son petit déjeuner. Une brise légère chargée des senteurs douces des arbres et de celles, plus pénétrantes, des fleurs du parc, la rafraîchissait délicieusement, tandis qu'elle savourait sa première cigarette. A ses pieds elle regardait les carreaux anciens, à dessins jaunes et bleus, incrustés dans le sol de la terrasse suivant le conseil d'Elie Maran. Elle les avait rapportés de son voyage en Tunisie, plus précisément de son expédition à Tozeur. Un sourire un peu mélancolique s'esquissa sur ses lèvres au souvenir de la nuit passée dans l'oasis.

Elle était arrivée en fin d'après-midi, avant

le crépuscule, à l'heure où la blancheur des maisons, exaltée tout le jour par le soleil, perd son éclat. La visite des bains romains de Gafsa, de la source de Nefta, les kilomètres dans le désert brûlant, l'avaient épuisée. En pénétrant dans l'hôtel Splendid, elle se rendit compte qu'il était vain d'espérer y trouver une baignoire en état de marche.

La chambre était propre mais si minuscule qu'après avoir pris une douche — il y avait tout de même une douche à l'étage — Hélène ressortit aussitôt. Dans une vingtaine de minutes à peine, la nuit tomberait et à ce moment-là, elle préférait se trouver dans le jardin de l'hôtel de l'autre côté de la rue. Elle n'était pas peureuse ou, plutôt, prétendait ne pas l'être. Cependant les ombres indistinctes qui se glissaient le long des murs, les cris rauques surpris en passant devant un café brillamment éclairé au néon rose, les grands chiens faméliques qui erraient en quête de nourriture, fouillant avec leurs pattes dans les détritus accumulés en tas au coin des rues, tout cela n'incitait guère à traîner plus qu'il n'était nécessaire. Après le dîner, elle se promènerait avec ses trois compagnons de voyage, un couple et la sœur de l'un d'eux, des Américains bruyants mais rassurants.

Elle entra dans un magasin et acheta deux couvertures pour selle de chameau, à rayures turquoises et blanches, dont elle ferait des descentes de lit pour une chambre d'amis de sa maison d'Aley. Le vendeur était aimable, disert. Il lui montra divers objets fort laids qu'il l'encouragea vivement à acheter. Elle allait se retirer quand il lui fit signe de venir dans une petite cour attenante. Un peu inquiète, elle le suivit et là, elle aperçut, empilés en vrac, de merveilleux carreaux.

Il faisait tout à fait sombre lorsque, le marché conclu, elle se retrouva dehors. Elle pressa le pas et s'engagea dans une ruelle qui, pensait-elle, débouchait devant l'hôtel. Il n'en était rien. Elle repartit en sens inverse et ne tarda pas à s'égarer. Toutes ces ruelles se ressemblaient et aucune d'elles n'était éclairée. Hélène tournait en rond, furieuse de s'être perdue dans une si petite bourgade et un peu angoissée de se trouver isolée dans la ville si animée avant le coucher du soleil. Le silence n'était interrompu que par les aboiements espacés des grands chiens jaunes et par les cris des chameaux. Elle se décida à accoster une ombre qui passait.

— L'hôtel Splendid s'il vous plaît ?

— Venez avec moi.

La voix était chaude et Hélène éprouva un vif sentiment de soulagement.

— Je ne voudrais pas vous détourner de votre chemin.

— J'habite aussi au Splendid. Ici, on n'a pas le choix, dit l'homme en riant. Vous êtes arrivée aujourd'hui ?

— Ce soir.

Hélène et son compagnon — elle apprit qu'il était pilote et promenait de riches étrangers dans un petit avion de six places — s'avancèrent dans le jardin de l'hôtel ou une clientèle mêlée et pittoresque buvait des verres.

Des cages grillagées abritaient des fennecs, petits renards du désert agiles et souples qui avaient un air de malice et de gentillesse avec leur tête triangulaire et leurs oreilles pointues. A côté, des colombes, des perroquets et divers oiseaux menaient grand tapage.

Quelques ampoules disséminées çà et là éclairaient d'une faible lueur cet étrange jardin qui donnait à Hélène l'impression de se trouver au bout du monde, dans un lieu créé à l'instant même. Le souvenir de Beyrouth s'estompait au-delà des mers à une distance sidérale. La villa d'Aley pouvait n'être qu'une projection de ses rêves dans un autre monde, aussi inaccessible désormais que l'astre blanc bleuté qui commençait sa paisible ascension.

— Après le dîner, dit l'homme, si vous n'êtes pas trop fatiguée, nous irons voir les plantations de la palmeraie.

— Volontiers, s'entendit répondre Hélène.

D'où provenait cette sensation grisante de légèreté, d'ivresse ? Une sorte de carcan se détachait d'elle, à la fois de son corps et de son âme, la laissant merveilleusement libre, comme elle ne l'avait jamais été et n'avait jamais soupçonné pouvoir l'être.

Abandonnant ses compagnons de voyage, Hélène dîna avec l'homme, qui s'appelait Jean, dans la salle à manger aux fenêtres

grillagées à cause des moustiques. A peine
entrevu jusqu'à présent, son visage ouvert
s'accordait à sa voix posée et tranquille. Ses
cheveux blonds, décolorés par le soleil et l'eau
de mer, faisaient ressortir le hâle de sa peau
bronzée, un peu desséchée sur le front. C'était
un homme de plein air, au corps trapu, habitué
aux efforts physiques.

— Je passe souvent à Tozeur, dit Jean. Les
touristes demandent toujours à visiter l'oasis
mais la plupart d'entre eux ne voient pas
grand-chose et repartent déçus : leur esprit
n'est pas disponible. Ils sont incapables de
créer le vide en eux, de cesser d'être sur leurs
gardes. Ils ne parviennent pas à se départir
de leur état de tension nerveuse, sans doute
nécessaire pour survivre dans les grandes
villes.

— C'est si difficile, soupira Hélène, de partir en voyage en s'oubliant derrière soi.

— Oh ! Il ne s'agit pas de cela mais de
dépouiller notre apparence, ce personnage qui
nous colle à la peau et constitue un écran entre
soi et l'univers : à travers lui, les sensations
les plus naturelles et les plus simples nous
parviennent modifiées, déformées...

Le détachement, n'allait-elle pas peut-être
pour la première fois l'éprouver ? Les préoc-
cupations qui constituaient d'ordinaire la
trame de sa vie, elle n'osait penser ses raisons
d'exister, perdaient de leur importance. Elle
cessait pour un temps de projeter son image
sur ce qui l'entourait, rendue par là même

incapable de percevoir autre chose qu'un monde d'illusions. Elle aurait pu découvrir cela elle-même en prenant parfois le loisir de réfléchir au lieu de se disperser sottement. Son existence lui apparaissait comme une représentation qu'elle se donnait et qu'elle donnait aux autres pour en dissimuler le vide, l'inutilité.

Le vin rosé versé par Jean dissipa rapidement l'effet déprimant de ces pensées inhabituelles. Elle remit à plus tard d'y revenir, pour goûter le plaisir du moment présent. Et tandis qu'ils prenaient le café dans le patio intérieur de l'hôtel, au milieu duquel s'élevait un palmier entouré d'un banc de pierre, elle se disait que depuis longtemps elle n'avait connu un tel plaisir.

— Venez, dit Jean.

Ils s'enfoncèrent dans la nuit tiède de la palmeraie, toute bruissante de vie animale et végétale. Les jardins soigneusement cultivés descendaient jusqu'à la rivière, où buvaient des ânes mélancoliques et des chameaux maussades. La lumière pâle et froide de la lune glissait à la surface de l'eau qui coulait entre des rives de sable blanc où Hélène enfonçait jusqu'à la cheville. Au-dessus de sa tête, les palmes frémissaient doucement. Des bruits lointains et indistincts leur parvenaient du village.

— Sans vous, je n'aurais pas eu l'idée de venir ici, dit Hélène.

Elle n'osa pas ajouter : et le courage. Elle

qui n'était déjà pas trop rassurée à la tombée de la nuit dans une bourgade inconnue... Ils s'assirent au bord de l'eau. Jean la regarda et Hélène sentit qu'il avait envie d'elle. Depuis la mort de son mari, elle avait eu deux ou trois aventures extrêmement ennuyeuses, avec des gens de son milieu. Elle n'en avait tiré qu'une faible satisfaction et quand, au bout de deux ou trois mois, les relations s'espaçaient, elle s'en était à peine aperçue. Ces compagnons provisoires ne lui inspiraient même pas de vrai désir physique. Mais sans y attacher autrement d'importance, elle pensait qu'il était nécessaire de faire l'amour de temps à autre.

Jean avait pris timidement sa main : il émanait de lui une force contenue qui la touchait et l'attirait. Elle était impatiente du moment où il la prendrait dans ses bras. Pour une fois, elle avait l'impression d'être concernée par ce qui lui arrivait. Elle ne demeurait pas à l'extérieur, spectatrice indifférente des événements.

Elle s'allongea sur le sable, le bras replié sous la nuque. Aussitôt le corps de Jean pesa sur elle et sa bouche douce et avide chercha la sienne. Elle répondit à son étreinte, heureuse de sentir les mains qui caressaient ses épaules et ses seins.

Une sensation nouvelle la parcourait tout entière, dont elle n'avait jamais connu l'équivalent avec Jamil ou ses successeurs.

Etait-ce parce que Jean était différent d'eux, moins *civilisé* en quelque manière ?

— Viens, dit-il au bout d'un moment.

L'hôtel n'était éclairé que par une ampoule dont la faible clarté n'empêchait nullement le gardien de nuit de dormir. Ils s'étendirent sur le lit d'Hélène et pendant les quelques heures qui les séparaient du moment où Jean devait regagner l'aérodrome, elle éprouva, en même temps qu'un bonheur bouleversant et inattendu, le sentiment déchirant qu'elle aurait pu aimer Jean de toutes ses forces. Lorsqu'il la quitta à l'aube elle eut envie de pleurer, comme si elle avait perdu un bien inestimable.

Et maintenant, sur sa terrasse ombragée, chaque fois qu'elle regardait les carreaux elle pensait à cet homme dont elle connaissait seulement le prénom. Mais l'Hélène révélée à Tozeur, qui l'espace d'un instant avait pu participer au monde, n'avait eu qu'une existence éphémère. Le masque retrouvé, enfouie de nouveau dans son cocon, elle avait repris sa vie habituelle, — son apparence de vie.

Le Consul s'éveilla la langue pâteuse et l'esprit embrumé. Aux nombreux verres de bière bus la veille à « la Volga » après le champagne d'Hélène, il devait sans doute le cauchemar qui avait traversé sa nuit comme un gros animal noir et velu aux yeux de feu.

Il alluma sa lampe de chevet et but un grand verre d'eau. Maintenant encore les moindres détails de son rêve restaient présents à son esprit et son angoisse ne s'était pas entièrement dissipée.

En fait, ce rêve revenait souvent. Si les protagonistes et les situations se modifiaient, le thème ne variait jamais. Et pour cause...

A l'état de veille, il préférait ne pas se souvenir de cette époque, vieille d'une vingtaine d'années, où il achevait ses études.

Quelque déguisement qu'adoptât Alexis pour troubler son sommeil, il le perçait à jour. Même si, comme cette fois, Alexis se montrait sous l'aspect d'une jeune fille blonde en train de nager dans les eaux froides et profondes d'un lac de montagne. De la rive, le Consul voyait bien que la jeune fille Alexis commençait à éprouver des difficultés pour regagner le bord. D'ailleurs n'était-ce pas le Consul qui tout à l'heure l'avait incitée à se baigner en lui vantant la limpidité et la fraîcheur de l'eau ? La jeune fille maintenant appelait à l'aide et ses mouvements devenaient désordonnés. Une première fois, sa tête disparut. Elle parvint à remonter à la surface et le Consul perçut un faible cri. Il était monstrueux de rester ainsi sur le rivage sans essayer de porter secours à la jeune fille mais, s'il se mettait à l'eau, il se noierait de toute évidence. Il demeura donc spectateur jusqu'à la fin. Quelques bulles indiquèrent l'endroit où le corps s'était enfoncé. Peu après surgirent des promeneurs, de noir vêtus, qui de loin avaient assisté à la tragédie.

— Vous étiez là, dirent-ils au Consul, et vous n'avez rien tenté pour la sauver.

Le Consul prétendit qu'il venait d'arriver et ne savait pas même que l'accident avait eu lieu. Les gens s'éloignèrent en proférant d'indistinctes paroles de menace.

La clef tourna dans la serrure de la porte d'entrée, signalant la venue de la femme de ménage. Il allait lui dire de préparer un café très fort qui dissiperait toutes ces images. Celles du rêve en tout cas. Quant aux autres...

Il ouvrit les volets et le soleil illumina jusqu'au moindre recoin de la pièce. Il regarda la grande ville désordonnée, trouée ici et là de terrains vagues, qui s'étendait à ses pieds : chaque matin, il avait besoin de s'assurer de sa présence, craignant toujours qu'une cité sombre, triste, traversée par un large fleuve aux eaux grises, n'eût pris soudain sa place. Par bonheur, aujourd'hui encore, il n'en était rien.

En buvant son café, il repensa à Martha et à ses prédictions. Autrefois sa mère avait été une fervente adepte du marc de café et de cartomancie et au cours des innombrables séances où elle essayait de connaître l'avenir de son fils, celui-ci avait eu maintes occasions d'apprendre la signification des cartes. Comme Martha hier, il y avait vu la mort d'un homme. Il aurait pu ajouter : à brève échéance.

Martha l'intriguait : son air tendu, insatis-

fait, donnait envie au Consul de lui demander
ce qu'elle cherchait, ce qu'elle attendait... Mais
on ne posait pas ce genre de questions dans
la société où il évoluait désormais. Elle lui
inspirait de la sympathie, bien qu'il n'eût
jamais eu de véritable entretien avec elle.
C'était, ici, la chose du monde la plus difficile : vos interlocuteurs passaient sans cesse
d'un sujet à un autre, sans se soucier beaucoup
de ce qu'ils entendaient, sinon pour rapporter
des propos tronqués et dénaturés.

On n'aimait pas Martha à Beyrouth ; elle
passait pour méchante ; le Consul, cependant
aurait pu citer une dizaine de personnes à la
langue beaucoup plus acérée. Peut-être une
certaine brusquerie de ton et de manières
était-elle la cause de l'aversion qu'elle inspirait. Dora par exemple la détestait : sans
raison, elle le reconnaissait. Dora était si sotte
aussi... Il la méprisait et la plaignait à la fois,
car il semblait bien que son cas était sans
espoir. Personne ne s'était soucié d'orner son
esprit et de développer ses facultés : elle
n'avait rien à attendre de ses parents. De plus,
Dora ne lisait pas et toute allusion à une
œuvre littéraire, si connue soit-elle, n'éveillait rien en elle.

En arrivant au Consulat, il trouva un message codé posé sur sa table par Tania, une
jeune femme qui officiellement lui servait de
secrétaire, mais dont le rôle principal, il n'en
doutait pas, consistait à envoyer des rapports
sur les activités de son chef.

Tania apparut, souple et silencieuse comme un chat, assez jolie en vérité, un sourire immuable sur ses lèvres à peine teintées de rose.

— Vous avez reçu plusieurs messages, dit-elle en feuilletant un bloc. Mme Cherwal serait heureuse de vous avoir à dîner le 14 et l'Ambassadeur du Maroc vous convie à un cocktail au Saint-Georges mardi prochain à partir de six heures.

— Répondez que j'irai au dîner et au cocktail et marquez-le sur mon agenda. D'autre part, soyez assez gentille pour faire envoyer des fleurs avec ma carte à Mme Sawili. C'est tout pour l'instant.

Resté seul, le Consul se livra sans entrain au travail du décodage.

Derrière les lunettes à monture d'or, Elie Maran distinguait le regard vif de son visiteur, Ted Hunter, assis en face de lui, dans un grand fauteuil de cuir fauve.

— J'ai appris que vous vous sépariez de certaines pièces de votre collection. Je suis venu voir ce que vous pouviez me proposer.

— Les nouvelles se répandent rapidement, dit Elie avec amertume. Quel genre d'objets vous intéresserait ?

Des pièces choisies avec soin, obtenues souvent avec difficulté, admirées chaque jour, allaient disparaître des vitrines... Cette perspective, repoussée depuis des semaines, le désespérait et l'enrageait.

Hunter se carra dans le fauteuil et croisa ses jambes.

— Je voudrais d'abord un très beau bijou pour ma femme et un autre, de moindre importance, pour ma fille.

Elie se leva :

— Voilà ce que j'ai pour le moment...

Il n'y avait pas d'autre solution...

Hunter nettoya ses lunettes pour mieux examiner les joyaux qu'Elie disposait sur une petite table.

— Ces boucles d'oreille proviennent d'un tombeau découvert aux environs de Tyr, près des citernes du roi Salomon. Elles doivent dater du IV⁰ ou du III⁰ siècle av. J.-C.

— Quelle finesse dans le travail, murmura Hunter émerveillé. Je suis sûr que ma femme les aimera énormément. Combien en voulez-vous ?

Elie hésita un instant, puis énonça un prix, plus élevé que celui qu'il pensait obtenir. A sa grande surprise, l'Américain n'essaya même pas de marchander. De même, pour le bracelet destiné à sa fille, il accepta la somme fixée par son vendeur.

— Maintenant, dit Hunter, je vais me montrer un peu égoïste et acheter quelque chose pour moi.

Elie sourit : il fallait ménager un pareil client. Il lui offrit un whisky.

— Je désirerais une statuette phénicienne,

poursuivit l'Américain, dans le genre de celles qui se trouvent au Musée.

Elie en possédait deux, depuis quelques mois seulement, et il était loin d'avoir épuisé le plaisir que lui procurait la vue de ces petits guerriers de bronze casqués d'or, étirés comme des sculptures de Giacometti.

Bien qu'humilié par sa position de vendeur, Elie se surprit à éprouver une vague sympathie pour Hunter : de toute évidence, il portait à ces objets le même amour que lui. Il savait les apprécier et la manière dont ses doigts effleuraient les statuettes révélait que ce contact lui procurait une véritable jouissance, impression qui rendait un peu moins désagréable au collectionneur l'obligation de se séparer de ses guerriers phéniciens. En revanche il avait haï l'Ambassadeur pendant trois jours, au point de fuir à l'autre bout de la pièce en le rencontrant dans une réunion, lorsque celui-ci avait acquis le collier.

— Il existe une chose, dit Hunter avec une sorte de ferveur, pour laquelle je suis prêt à payer une fortune. Peut-être pourriez-vous m'aider à me la procurer...

— De quoi s'agit-il ?

— Je pense que le nom d'Aglibôl ne vous est pas inconnu ?

— Non, répondit Elie étonné. C'est un dieu palmyrénien généralement représenté en compagnie de Bel et Yarhibôl. Sur certaines tessères, il apparaît en dieu lunaire et aussi sous forme d'un taureau, ses cornes figurant le croissant. Il est l'antithèse de Yarhibôl, dieu Soleil qui protégeait les sources. Aglibôl est aussi parfois associé à Malakbel, autre dieu qui, lui, personnifiait le Soleil levant.

— Je voudrais une tête d'Aglibôl, dit Hunter avec fièvre.

Elie sursauta :

— Mais je ne sais même pas s'il en existe ! A ma connaissance, aucun musée n'en possède Peut-être pourrait-on se procurer des tessères et encore...

— On vient de découvrir un tombeau à Palmyre, dit Hunter. Serait-il impossible qu'il recèle une tête d'Aglibôl ?

— Impossible non, naturellement. Très peu probable cependant.

Elie assistait avec stupeur à la transformation qui s'opérait devant lui : un passionné, les yeux luisants de convoitise, en proie à une idée fixe qui rendait ses gestes brusques — il lui semblait même que la main qui tenait le verre de whisky tremblait — avait soudain, en prononçant le nom d'Aglibôl, remplacé l'homme posé, paisible, amateur d'antiquités... Ce comportement laissait Elie perplexe : qu'est-ce qu'Aglibôl signifiait pour Hunter ?

On sonna. L'Américain tressaillit et parut sortir avec peine de l'état second où il était plongé.

— Excusez-moi, dit-il, j'ai demandé à ma fille de passer me prendre.

Elie se rendit au-devant de la jeune fille.
En le voyant, Stella montra une stupeur égale
à la sienne.

En fin de matinée, le Conseiller Parott, qui
traitait une affaire à Damas, appela sa fille
au téléphone. Il s'inquiétait de savoir comment s'était passée la soirée chez Hélène Sawili
et si Ann s'y était amusée. Il fut agréablement
surpris de son ton enjoué, si inhabituel depuis
quelques mois et trouva excellente l'idée de
l'excursion à Palmyre.

Ann retourna dans sa chambre et s'enferma
pour revoir les photos de Geoffrey et relire
ses lettres. La vue du visage de son amant
dont, après quatre mois de séparation, les
traits commençaient à s'estomper dans sa mémoire, ravivait chaque fois un chagrin qui,
s'il avait perdu de son acuité, n'en demeurait pas moins profond. En considérant l'écri-
ture qui avait recélé tant de mensonges mais
pour elle tant de bonheur, Ann décida de
réunir tous ces souvenirs dans une grande
enveloppe qu'elle cacheta et jeta au-dessus de
son armoire. Ainsi, elle résisterait plus facilement à la tentation de se replonger dans un
passé aujourd'hui révolu. Elle s'efforcerait
aussi de penser le moins possible à un homme
qui, en la quittant, n'ignorait pas qu'il détrui-
sait définitivement une part d'elle-même.
Maintenant, peut-être à cause de cette nuit

passée avec Pierre, de la gentillesse qu'il lui
avait témoignée, Ann se sentait émerger de la
stupeur mortelle où l'avait plongée cet aban-
don. Une rancune naissait en elle, au souvenir
de tant de lâcheté. Si Geoffrey lui avait annoncé un jour qu'il ne l'aimait plus, elle en eût,
certes, terriblement souffert. Mais elle aurait
compris... Geoffrey, lui, avait fui à l'aube, sans
explication d'aucune sorte, après lui avoir
juré qu'il n'aimait qu'elle au monde. Il avait
disparu, quitté la ville, car elle avait appris
par le troisième secrétaire de l'Ambassade,
Dick Closom, avec lequel elle entretenait depuis longtemps des liens d'amitié, que Geoffrey
avait été envoyé en Europe par la société qui
l'employait. Sans doute, avait-il lui-même sollicité ce changement afin de s'éloigner plus
sûrement d'elle...

Parviendrait-elle un jour à considérer cette
histoire comme un événement parmi d'autres
dans le cours de sa vie ? Aujourd'hui encore
elle signifiait une rupture brutale, la fin d'une
époque... Le fil de la vie était brisé : avant
et après, deux moments qui ne pourraient
jamais se raccorder.

Ann tournait en rond dans sa chambre :
Pierre Fakry ne viendrait pas la chercher
avant une heure et elle ne savait comment
employer ce temps. Elle demeurait là, à res-
sasser de tristes pensées, car il lui était impossible de s'absorber dans un livre plus de
quelques instants : une phrase suffisait à lui
remettre en mémoire ce dont elle cherchait à

se distraire. Geoffrey avait réussi à empoisonner pour elle jusqu'au plaisir de la lecture.

Elle appela au téléphone Dick Closom qui lui proposa de venir prendre un café dans son bureau, deux étages au-dessous de l'appartement qu'Ann partageait avec son père.

— Vous avez l'air fatigué, remarqua Dick Closom en regardant Ann avec affection. La soirée s'est prolongée tard chez Hélène ?

— Pas tellement... Pierre Fakry m'a emmenée boire un verre aux « Caves » en descendant d'Aley.

— Et ensuite un verre chez lui, je présume ?

Ann hésita : mais bien qu'il fût de peu son aîné, Dick lui servait de confident. Il était le seul qui eût été au courant de ses relations puis de sa rupture avec Geoffrey. Sa discrétion n'était plus à prouver.

— Je suis rentrée à sept heures, dit-elle.

— Je vois... Je pense que c'était une bonne idée.

Ann sourit :

— Ce n'était pas une idée à proprement parler... Enfin, me revoilà dans le circuit des activités beyroutines : j'ai accepté de déjeuner tout à l'heure à Saint-Simon chez Georges d'Alvarez et de participer en fin de semaine à une excursion à Palmyre.

— Tout cela est excellent... Georges vient de m'appeler pour me convier à la plage, malheureusement je dois représenter votre père à une cérémonie officielle... A propos, avez-vous vu le Prince hier soir ?

— Oui, chez Hélène.

— Quelle impression vous a-t-il produite ? La jeune fille haussa les épaules :

— Il n'est pas mal de sa personne et paraît très aimable... Je ne vois pas ce que je pourrais vous en dire de plus... Si cela vous intéresse vraiment, poursuivit-elle en riant, comme il nous accompagne à Palmyre, je l'observerai avec soin et vous ferai un rapport détaillé au retour...

— Oui, dit Dick songeur, l'opinion d'une personne sensée et impartiale comme vous me serait utile.

Le ton sérieux de son ami intrigua Ann :

— Enfin qui est donc ce Prince ?

— *That is the question...*

— Tu sembles de meilleure humeur ce matin, remarqua Vera.

Martha s'assit dans la balancelle de toile rouge et blanche. La teinte du corps de Vera, étendu au soleil sur la terrasse, approchait de la perfection.

— Etais-je de mauvaise humeur ?

— Plutôt...

— Cela m'agace toujours de passer une soirée avec des gens frivoles qui tiennent des propos sans intérêt.

— Eh bien ! ne les vois pas !

Martha soupira :

— Si je n'aimais pas tant le confort, je vivrais volontiers en ermite dans le désert.

— La solitude ne t'effrayerait pas ?

— Avec des livres, je ne pense pas, dit Martha. D'ailleurs, il n'est pas dit que je finisse mes jours à Beyrouth.

— Et où voudrais-tu aller ?

— Je ne sais pas. Ailleurs...

— On dirait que tu te sens prisonnière de cette ville.

— Les lieux ne vous retiennent pas ou si rarement...

— Les êtres alors ?

— Non... C'est de soi-même qu'on est prisonnier.

Martha rêvait souvent de s'évader vers de nouveaux rivages où tout serait différent, où elle n'éprouverait plus cette affreuse impression qui se muait parfois en angoisse, de stagner, de s'enliser dans un sable doux et tiède qui épousait si vite les contours du corps qu'il rendait vain l'effort d'en sortir. Mais cette impression tenait-elle à la ville et à elle seule ?

— Toi, tu ne peux pas t'en aller, dit Vera, et moi je n'ai pu rester où je me trouvais... Est-ce cela qui a créé des liens entre nous?

Martha lui caressa la tête, comme elle l'aurait fait à un animal familier.

— Sans doute... Veux-tu que nous allions nous baigner et déjeuner au Saint-Georges ?

Vera sauta sur ses pieds :

— Oh ! oui, dit-elle avec empressement. Je vais me préparer.

— Je te rejoindrai sur la plage vers midi et demi, dit Martha. Auparavant, je dois faire une course. Retiens une table pour le déjeuner.

LA PLAGE

— Alors, dit Georges en versant de la sangria dans le verre d'Hélène Sawili, vous ne m'en voulez pas trop de vous convier sans le Prince à ce modeste déjeuner sur la plage ?

Hélène sourit et se carra dans la chaise longue. Un maillot blanc moulait son corps bronzé, encore mince et ferme, et lui donnait une allure sportive.

— Il m'arrive de sortir seule, imaginez-vous, mon cher Georges. Le Prince est certes fort agréable et, semble-t-il, apprécié à Beyrouth. Mais il n'est pas indispensable à mon bonheur de le voir chaque jour.

— Je le craignais...

— Vraiment ?

Georges tendit des pistaches et des amandes salées à la jeune femme.

— On m'a dit, poursuivit-il, que la soirée que vous avez offerte en son honneur a dépassé en splendeur toutes les fêtes de la saison. Je n'en ai eu que plus de regrets de n'avoir pu m'y rendre.

— Quels sont ces flatteurs ?

— Ann Parott et Pierre Fakry que j'ai rencontrés aux « Caves ».

— Ensemble ?

— Oui. Est-ce étonnant ?

— Non... Nouveau simplement. C'était la première fois qu'Ann sortait depuis des mois.

— Que lui est-il arrivé? demanda Georges. Je ne suis pas au courant.

— Personne ne l'est : Ann a été déçue par un homme dont on ne connaît pas le nom.

— Allons donc ! Est-il possible de cacher une chose pareille dans une ville comme Beyrouth ?

— Il paraîtrait...

Ainsi Ann avait accepté de suivre Pierre aux « Caves ». Tant mieux : il était absurde que cette pauvre enfant continuât à se désespérer et à désespérer son père. Le Conseiller Parott n'était ni imaginatif, ni perspicace : c'était tout dernièrenement qu'éclairé par quelques amis, il avait compris que sa fille unique avait le cœur brisé.

— D'ailleurs, reprit Georges, je les ai invités tous les deux ainsi que Leonora.

— Quoi ! Vous voulez dire la vieille Leonora Tabourian ?

— Elle-même. Elle adore le monde et ne refuse jamais une invitation.

— La plage à son âge... Elle ne va pas se baigner j'espère ?

Georges haussa les épaules en signe d'ignorance.

— On ne peut pas savoir... Elle raconte toujours des histoires amusantes.

— C'est vrai, reconnut Hélène. Elle est la
méchanceté même.

— Leonora qui a tant voyagé et connu tant
de monde nous révélera peut-être les origines
du Prince.

— Ont-elles une si grande importance ?

Ces allusions répétées à la personne du
Prince associée à la sienne commençaient à
fatiguer Hélène. D'autant plus que rien ne les
justifiait. C'était aussi agaçant que de se voir
envier la possession d'un bel objet qui ne vous
appartiendrait pas. Après tout, pourquoi ses
rapports avec le Prince intéressaient-ils à ce
point Georges d'Alvarez ?

— Je pense, dit finalement Hélène, que
vous êtes beaucoup plus occupé du Prince
que je ne le suis moi-même...

— Le Prince ne me sert pas d'escorte, dit
Georges. Je n'ai pas imprudemment introduit
un étranger dans mon intimité.

— Imprudemment, que voulez-vous dire ?

Un pas crissa sur le sable et le Consul apparut en complet de ville avec un petit sac de
plage qu'il balançait d'un air emprunté.

— J'interromps un tête-à-tête, dit-il en
saluant Hélène. Vous m'en voyez confus.

— Nous parlions du Prince, comme d'habitude, dit Georges légèrement, sans regarder

Hélène. Je crois que c'est une conversation à laquelle vous pouvez participer.

— Je crains de n'apporter aucun élément nouveau, dit le Consul. Me permettez-vous de me changer ?

Le Consul pénétra dans le pavillon loué à l'année que Georges avait aménagé et orné des objets les plus inattendus.

— Je ne connaissais pas cela, dit le Consul en désignant d'étranges licols ornés de perles bleues.

— Ce sont des colliers d'ânes, expliqua Georges. Je les ai achetés l'autre jour à Saida dans les souks. Si vous avez besoin de serviettes de bain, elles sont dans l'armoire. Servez-vous.

— Merci, j'en ai apporté une.

Georges rejoignit Hélène.

— Comme le pauvre homme est toujours mal à l'aise, remarqua Georges à voix basse.

Hélène sourit :

— En effet... Comment se fait-il qu'il soit arrivé tout seul ? D'ordinaire, il suit Dora Rawad comme son ombre.

— Dora m'a téléphoné qu'elle serait en retard car elle allait chez le coiffeur.

— Quelle drôle d'idée avant de prendre un bain de mer !

— Vous la connaissez...

Les insinuations de Georges troublaient Hélène : elle aurait aimé connaître le fond de sa pensée. C'était impossible avec lui : il procédait toujours par allusions et n'énonçait

rien de précis. D'autre part, elle ne voulait
pas, en reparlant la première du Prince, marquer un intérêt qu'elle n'avait aucune raison
d'éprouver. Que lui importait cet hôte de passage, qui s'en irait comme il était venu, dont
nul ne se souviendrait sans doute l'an prochain à pareille époque ? Tant de personnes
célèbres, amusantes ou qui offraient l'attrait
de la nouveauté se succédaient à Beyrouth
qu'on n'avait guère le loisir de songer aux
absents ou aux disparus.

— Vous paraissez songeuse, chère Hélène...

— Mais non... Je reprendrais volontiers un
peu de sangria.

Le Consul revint. Hélène remarqua qu'il
rentrait son ventre autant qu'il le pouvait,
mais ces efforts tendaient en vain des mus-
cles avachis, trop rarement sollicités.

— Asseyez-vous, dit Georges, et parlez-moi
de la fête d'Hélène.

— Elle était merveilleuse, dit le Consul
avec une chaleur qu'on devinait sincère. Tous
ces plaisirs réunis...

Un immense sentiment de bonheur le sub-
mergea : l'évocation de cette soirée, la vue de
la plage dorée, de la mer étincelante, la chaleur du soleil sur sa peau, qui cesserait bien
un jour d'être grise, la perspective du bain,
du déjeuner et surtout la certitude que tout
cela serait encore là demain, c'en était presque trop. Il avait envie de communiquer cette
joie à Hélène qu'il aimait bien et même à
Georges qu'il connaissait peu. Mais comment

comprendraient-ils, puisque de ces bienfaits ils avaient toujours joui en paix...

— Vous êtes gentil, dit Hélène en souriant au Consul à qui elle trouvait quelque chose de touchant dans le regard, de flatter l'amour-propre d'une maîtresse de maison.

— Voilà notre Leonora ! dit Georges en s'élançant à la rencontre d'une dame de petite taille mais de vastes proportions et d'un âge que mille artifices tentaient de rendre incertain.

— Vous êtes bon de ne pas oublier l'ermite que je suis devenue, dit Leonora en embrassant Georges sur les deux joues.

Réprimant un sourire, Hélène se pencha vers le Consul :

— On ne peut aller à un cocktail ou à un dîner sans la rencontrer, chuchota-t-elle.

— Elle était chez vous l'autre soir, il me semble?

— Bien sûr. Si je ne l'avais pas invitée elle m'en aurait voulu à mort pendant au moins trois semaines.

A son tour, Hélène était livrée au rite des embrassements. Par-dessus l'épaule de Leonora elle aperçut Ann Parott et Pierre Fakry vêtus de chemisettes et de pantalons blancs.

— Il ne manque plus que Dora, dit Georges. Je vais dire qu'on mette les poissons à cuire et nous irons nous baigner.

Le Consul et Hélène partirent les premiers afin d'établir un roulement pour ne pas laisser Leonora seule. Celle-ci avait retiré la veste

de shantung rose de son ensemble et, installée
dans une chaise longue, elle buvait un whisky.
Plusieurs bagues fort belles brillaient à ses
doigts boudinés, qui agitaient un long fume-
cigarette d'ambre. Leonora était très riche et
ne voyait guère de raison de le dissimuler
dans une ville où chacun passait son temps
à évaluer la fortune d'autrui.

Le Consul se brûlait la plante des pieds sur
le sable et sautillait comme un pingouin à
côté d'Hélène.

— Qu'avez-vous fait de Dora ? demanda-
t-elle.

Le Consul sourit :

— Je ne l'ai pas vue depuis hier soir.

— Allons donc, dit Hélène d'un ton moqueur.

— Mais... Je dois aussi de temps en temps
m'occuper des affaires du Consulat, s'excusa-
t-il.

Ses idées étaient encore embrumées après
cette nuit de boisson et de cauchemars.

— Vous n'allez pas prétendre que vous
êtes accablé de travail à cette époque de l'année ?

— Non, en effet, reconnut le Consul.

Confierait-il à Hélène, qui lui inspirait une
vive sympathie et même de l'admiration,
l'emploi de sa nuit ? Le contact de l'eau le
détermina au silence : ces confidences imprudentes pourraient lui nuire. L'habitude de
surveiller chacune de ses paroles, chacun de
ses gestes était ancrée au plus profond de

lui-même : on ne devenait pas si vite un homme libre... Comment oublier, d'ailleurs, qu'il suffisait d'un ordre de rappel, qu'on ne prendrait même pas la peine de motiver, pour que cette liberté provisoire prît fin...

— L'eau est exquise ce matin, dit Hélène.

Elle faisait la planche tandis que le Consul nageait en rond autour d'elle pour continuer la conversation.

— J'aime beaucoup les bains au clair de lune dans votre piscine.

— Vous pouvez venir vous baigner quand vous voudrez, dit Hélène. Même si je ne suis pas là.

— Le plaisir serait moindre, dit le Consul, qui commençait à savoir tourner des phrases aimables.

Lieu de rencontres à l'heure du déjeuner où s'échangeaient cent potins divers et se dévoilaient les intrigues et les ruptures des derniers jours, la plage du Saint-Georges offrait son animation coutumière et les baigneurs se pressaient dans un espace réduit. De loin, Martha distingua son amie, allongée sur une chaise longue et lui fit signe. Tandis qu'elle se dirigeait vers elle, saluant ici et là quelques relations, elle croisa le Prince. Il portait un polo bleu ciel qui seyait à merveille au ton bistré de sa peau. A son corps défendant, Martha lui reconnut une séduction certaine ;

ne vaudrait-il pas la peine d'entreprendre cette conquête ?

— Vous vous baignez ? demanda-t-elle.

— Pas pour l'instant. J'avais rendez-vous avec un ami et je ne le vois nulle part.

— Avez-vous été de l'autre côté ?

— De l'autre côté ?

— Il existe aussi une plage à gauche de l'hôtel.

— Je ne le savais pas, merci, dit le Prince dont le visage s'éclaira.

Et prenant congé avec un sourire aimable, il s'éloigna rapidement.

Martha le suivit des yeux puis haussa les épaules. Elle se heurta à Vera qui s'était précipitée au-devant d'elle.

— Avec qui parlais-tu ? demanda-t-elle d'une voix inquiète et essoufflée.

— Tu n'as pas reconnu le Prince ? Sa photo paraît pourtant assez souvent dans les journaux.

— Lui, le Prince ! s'exclama Vera incrédule.

— Qu'y a-t-il d'extraordinaire ?

— Il est venu souvent chez mes parents autrefois...

— Allons donc !

— Je t'assure... Il y a sept ans environ. Mon Dieu c'est horrible, penser qu'il est ici !

Le joli visage de Vera s'était décomposé et elle frissonnait malgré la chaleur. Martha la prit doucement par la main et la fit asseoir à la table retenue pour le déjeuner. Elle commanda un whisky pour Vera et lui couvrit les épaules de sa serviette de bain.

— Raconte, dit Martha avec une sollicitude presque maternelle. Cela te fera du bien.

Après tout, Vera vivait chez elle depuis plusieurs mois : elle se sentait une sorte de responsabilité à son égard et bien qu'elle affectât souvent de la traiter avec dédain, elle éprouvait une grande tendresse pour cette enfant abandonnée, malgré ses humeurs bizarres et son regard parfois absent.

— Cet homme — on l'appelait Tuffic à l'époque — a assassiné mon père.

— Oh, en es-tu sûre?

— Je l'ai vu, poursuivit Vera avec exaltation. Je n'avais que onze ans mais je me souviens du moindre détail. Mon père s'était lié avec ce Tuffic, qui avait pris l'habitude de venir dîner au moins une fois par semaine à la maison. Comme mon père admirait beaucoup son nouvel ami, il demandait à ma mère, qui était excellente cuisinière, de se surpasser ces jours-là. Elle s'exécutait de mauvaise grâce, car elle ne l'aimait pas et s'en défiait. A cette époque — cela se passait dans les derniers temps de Farouk — il y avait une grande agitation dans le pays et Tuffic entraînait de plus en plus souvent mon père à de mystérieuses réunions dont il rentrait tard dans la nuit. Je surprenais des bribes de conversation qui montraient combien ma mère s'alarmait :

« Tout cela ne me dit rien de bon, disait-elle.

— Que veux-tu, il faut bien faire quelque chose, répondait mon père. On ne peut pas simplement attendre.

— Tu ferais mieux de rester tranquille, cela finira très mal. Fais attention, je t'en prie... »

« Tuffic ne venait presque plus à la maison, peut-être à cause de l'antipathie que lui témoignait ma mère mais nous savions que mon père le voyait constamment. Un soir, avant le dîner, Tuffic est venu le chercher pour assister à une de leurs réunions. Nous avons dîné seules ma mère et moi et elle venait de m'envoyer me coucher lorsque mon père est rentré.

« Déjà ! » s'exclama ma mère joyeusement.

« Mon père sourit :

« Ne t'inquiète plus, dit-il. C'est la dernière fois que j'assiste à leurs séances : j'en ai assez. »

« On m'envoya donc au lit. Au milieu de la nuit, je fus réveillée par un cauchemar, ce qui m'arrivait fréquemment. Je me levai et me dirigeai vers la chambre de ma mère, comme je le faisais en pareil cas. Celle-ci se trouvait au fond d'un couloir, à angle droit avec la mienne. D'ordinaire je m'installais auprès d'elle : elle me rassurait, m'embrassait et je me rendormais dans la tiédeur de son lit. Je prenais bien garde au passage de ne pas réveiller mon père, qui jugeait sa femme

trop faible à mon égard. Cette fois-là, je vis
la porte de la chambre de mon père entrou-
verte. Je m'arrêtai, le cœur battant, de crainte
d'être surprise. J'entendis un faible gémisse-
ment, puis un bruit de pas légers dans
la chambre. Tuffic en sortit et parut un instant stupéfait de ma présence. Il me dit d'un
ton menaçant :

« Ma petite, je te conseille de ne pas dire
à ta maman ou à qui que ce soit que tu
m'as vu. Tu entends ? Sans cela, il t'arrivera
la même chose qu'à ton papa. »

« Il me poussa dans la chambre en allumant la lumière et disparut. J'approchai
lentement du lit, terrifiée : mon père avait
les yeux grands ouverts et le visage violacé. Je
touchai sa main pendante encore chaude et
il demeura immobile. Je courus chez ma mère
en hurlant... »

Vera était si pâle, si tremblante en évoquant
cette vision d'horreur, ce cauchemar revécu un
nombre incalculable de fois, que Martha crai-
gnit un instant qu'elle ne s'évanouit.

— Bois un peu de whisky, je t'en prie...

Vera avala difficilement quelques gouttes
d'alcool. Elle demeurait prostrée, insensible
au mouvement des uns et des autres, indifférente à l'assiette d'oursins qu'un serveur
venait de poser devant elle. Partagée entre
l'anxiété où la plongeait l'état de Vera et la
stupeur provoquée par une révélation si
inattendue et si extraordinaire, Martha ne
savait pas quel parti prendre : ramener Vera

à la maison et la faire dormir à l'aide d'un somnifère ou essayer de la distraire ?

— Veux-tu rentrer ? proposa-t-elle.

En même temps, elle ne parvenait pas à se convaincre totalement de la véracité de ce récit : elle tentait d'imaginer le Prince sous les traits d'un meurtrier. En vain...

Lorsque Vera lui parut un peu calmée, elle reprit doucement :

— Es-tu certaine qu'il s'agisse du même homme ? Tu n'as aperçu le Prince que d'assez loin et tu dis toi-même que tu n'as plus revu ce Tuffic depuis sept ans.

— Je suis sûre que c'est lui. Après tout, il n'est pas d'un type physique si commun.

— Bien sûr... Mais il arrive que deux êtres se ressemblent de telle façon qu'on les confond : peut-être le Prince est-il un sosie de Tuffic...

— Ecoute, dit Vera l'œil brillant, il existe un moyen infaillible de le reconnaître.

— Lequel ?

Si Vera pouvait prouver que le Prince et l'assassin étaient un seul et même homme...

— L'intérieur du poignet gauche de Tuffic est barré d'une fine cicatrice blanche de quelques centimètres...

— Tu as vu cette cicatrice ?

— Oui.

— Il doit être possible de vérifier cela... Jusqu'à présent, je n'ai rencontré le Prince qu'à des cocktails ou des soirées, où naturellement il portait un veston.

— Il faudrait se baigner avec lui, par exemple, dit Vera.

— Ou se promener au soleil à Palmyre : à midi, dans le désert, il portera comme ce matin un polo à manches courtes ou une chemisette.

— Si vous n'avez pas de projets, je vous propose de venir déjeuner avec moi, dit Elie Maran.

— Je crois que Stella avait envie de se baigner, dit Hunter en regardant sa fille.

— Alors, nous pouvons déjeuner au Carlton : il y a une piscine.

Au Saint-Georges Elie craignait de rencontrer trop d'amis.

— Je serais ravie, dit Stella.

Pendant que Hunter essuyait une fois de plus ses lunettes, Elie et Stella échangèrent un sourire complice.

— Prenons ma voiture, dit Elie. Je vous ramènerai ensuite à la vôtre.

De nouveau Stella s'assit à côté de lui, comme la nuit précédente, au cours de cette longue promenade qui les avait menés jusqu'à Byblos. Les ruines étaient d'une blancheur laiteuse et luisaient doucement à la clarté de la pleine lune, la lune d'Aglibôl... Dans le petit théâtre romain au sol pavé de mosaïques, face à la mer dont l'haleine tiède parvenait jusqu'à eux, Elie avait embrassé Stella. Penché sur ces lèvres offertes, sur ce corps léger et dur abandonné contre le sien, il songea que depuis des années il n'avait plus embrassé personne. Enfermé dans un monde où le temps ne comptait pas, il avait oublié de vivre, de désirer, d'aimer autre chose que des pierres ou du métal...

— Voyons, dit Hunter, n'est-ce pas au Carlton qu'est descendu ce mystérieux Prince dont tout Beyrouth s'entretient ?

— Ah ! vous êtes déjà au courant ? demanda Elie en souriant. En effet, il y habite.

— Qui est ce Prince dont vous parlez ? s'enquit Stella.

— Notre ami Maran pourra sans doute mieux te renseigner que moi.

— Il intrigue les uns et les autres et bien que je le rencontre souvent, je ne peux rien vous dire de précis sur son compte : ni qui il est, ni d'où il vient...

— Mon correspondant libanais chez qui je dînais hier soir ne m'a pas caché qu'il cherche à nouer des contacts avec les milieux d'affaires.

— A quel propos ?

— Je l'ignore... Mais il semblerait qu'il inspire une certaine méfiance...

Hélène et le Consul revenaient vers le chalet de Georges d'Alvarez. Hélène courait allégrement « comme une jeune fille », remar-

qua Leonora Tabourian. Le Consul s'efforçait
de la suivre. Mais il ne semblait pas entraîné
aux exercices physiques...

Ce fut au tour d'Ann et de Pierre d'aller
se baigner. On attendait toujours Dora, et
Georges avait décidé qu'au retour des deux
jeunes gens on se mettrait à table.

— Je suis content de te retrouver, dit Pierre.
Tu m'as manqué ce matin.

Ils nagèrent de concert vers le large.

— Alors, tu viens à Palmyre ? demanda
Pierre.

Si elle n'était pas à l'excursion, le plaisir
qu'il en escomptait serait gâché. C'était idiot :
hier à pareille heure, à peine savait-il qui elle
était. Il l'avait rencontrée plusieurs fois mais
jamais n'avait fait l'effort de lier connaissance avec elle. Et maintenant, il souhaitait
auprès de lui cette présence tranquille et un
peu mélancolique. Quand il réussissait à
l'égayer un instant, il se sentait lui-même
réconforté...

— Après tout, pourquoi pas ? dit Ann. Ici
ou ailleurs...

— Cela te fera du bien de quitter Beyrouth.
Et je m'occuperai de toi...

— Tu es gentil... Mais pourquoi ?

— Je ne sais pas...

Ils rirent tous deux et plongèrent.

— Dites-moi un peu qui sont ces jeunes
gens ? demanda Leonora à Hélène qui se
séchait au soleil.

— Pierre Fakry est le neveu de Jawad Nakal, l'entrepreneur...

— Très grosse fortune, pas d'enfants. Le petit héritera.

— Et Ann, poursuivit Hélène, est la fille du Conseiller Parott.

— Excellent milieu... Le Conseiller n'est-il pas un de vos admirateurs ?

— C'est un ami avec lequel je sors de temps en temps, dit Hélène qui avait envie d'ajouter « quand je n'ai rien de mieux à faire » car le Conseiller, excellent homme en vérité, était l'un des êtres les plus ennuyeux qu'elle connût.

— Voilà enfin Dora, dit Georges.

Allongé sur un matelas, le Consul buvait son troisième verre de sangria et se sentait de plus en plus heureux. Le grand air, l'eau salée avaient dissipé les maléfices de l'aube : en vérité, que pouvait-on redouter dans la somptueuse lumière de midi, sur ce sable doré qui s'enfonçait là-bas sous les vagues, quand on se laissait bercer par des propos futiles et tout à fait inoffensifs ?

Dora s'avançait, vêtue d'une manière à la fois recherchée et peu seyante.

— Je commençais à me demander si tu viendrais, dit Georges.

— Je suis désolée, dit Dora. J'ai été retenue...

Comment expliquer qu'en sortant de chez le coiffeur, elle avait eu la malchance de croiser sa cousine Michelle qui avait tant insisté que Dora avait été contrainte de monter un

instant chez elle prendre un café. Au moment
où elle s'apprêtait à partir, Samir était arrivé
pour déjeuner avec sa sœur et tous deux
l'avaient priée de partager leur repas. Malgré
les minutes de retard qui s'accumulaient, elle
avait éprouvé une intense satisfaction à refuser et à décrire le faste des réceptions de
Georges d'Alvarez chez lequel elle allait justement. Sans doute, rencontrerait-elle le
Prince. Michelle l'avait regardée avec envie
et avec un dépit mal déguisé, tout en langeant
son dernier enfant. Quant à Samir, son expression indiquait assez l'agacement que lui inspirait la vie mondaine et brillante que Dora,
à l'en croire, menait quotidiennement, accueil-
lie dans un monde élégant où il n'avait pas
accès.

— Tu te baigneras après le déjeuner, dé-
créta Georges. On t'a assez attendue. Tout le
monde meurt de faim.

— C'est vrai, dit Leonora. Il est presque
deux heures...

Gênée, Dora se mordit les lèvres : on lui
reprochait souvent son retard. Le Consul n'y
manquait pas. Et elle alla s'asseoir à côté de
lui.

— Je pense que vous êtes déçue, dit-il.

Dora prit l'air étonné :

— Et pourquoi donc ?

— N'espériez-vous pas voir le Prince ?

— Il n'est pas là ?

— Eh non, dit le Consul en se redressant.
Nous sommes au complet ; seuls manquent

Ann et Pierre que j'aperçois là-bas, en train de
sortir de l'eau.

— Je me ferai une raison, dit Dora. Mais
où peut-il être ?

Le Consul sourit de tant de naïveté :

— Le déjeuner de Georges n'est pas le seul
qui se donne aujourd'hui à Beyrouth. Il existe
une dizaine de maisons au moins où le Prince
a pu être invité.

— Evidemment, convint Dora. Un si petit
déjeuner...

Et elle considéra avec dédain la table dressée
pour sept couverts.

— Venez, cria Georges, les poissons sont
prêts.

Pendant que Stella mettait son costume de
bain, Elie Maran et Ted Hunter, assis à côté
de la piscine, buvaient des daiquiris.

— Je suis heureux de vous connaître, dit
soudain Hunter. J'ai si rarement l'occasion de
parler de ce qui me tient à cœur. Pour vous
qui appartenez à une des plus anciennes con-
trées du monde et qui vivez sur une terre où
l'on retrouve à chaque pas les traces des
anciennes civilisations, il est difficile d'imaginer combien l'existence dans un pays neuf,
où rien ne remonte à plus de deux siècles, est
parfois désolante pour un homme amoureux
du passé.

Ces paroles étaient dites avec tant de simplicité et de conviction qu'Elie fut touché : en quelles meilleures mains pouvaient tomber ses joyaux et ses petits guerriers puisqu'il était contraint de s'en séparer ?

Stella se tenait devant eux, prête à se baigner, telle qu'elle était apparue à Elie, la nuit dernière au Phénicia. De nouveau, il fut frappé par la merveilleuse vitalité qui émanait d'elle.

— Il n'y a pas d'amateurs ?

Les deux hommes secouèrent la tête.

— Alors commandez-moi un gin tonic.

— Lorsque j'aurai réglé les différentes affaires qui m'ont amené ici, poursuivit Hunter en regardant sa fille plonger, je prendrai deux ou trois jours de vacances pour me promener dans votre pays. Malheureusement, je n'aurai pas le temps de visiter la Syrie, sinon peut-être Damas au cours d'une journée... J'aurais tant aimé connaître Palmyre, poursuivre l'ombre de Zénobie...

— Ou celle plus récente de Mme Dandurin. Son destin, pour moins exemplaire, ne fut pas moins tragique, dit Elie. Je vais à Palmyre à la fin de la semaine, je descendrai dans le tombeau récemment mis à jour...

A ces mots, les yeux de Hunter se mirent à briller de cette façon étrange et un peu inquiétante qui avait déjà surpris Elie un peu plus tôt.

— La tête d'Aglibôl, murmura Hunter.

Vraiment, comment pouvait-il supposer... Insidieuse, l'idée naquit, prit corps, devint irrésistible : puisqu'il voulait à tout prix une tête d'Aglibôl, pourquoi ne pas la lui procurer et par la même occasion se libérer de Farid Ghassan...

— Ecoutez, dit Elie, je connais un des ouvriers qui travaillent aux fouilles : elles sont moins surveillées en Syrie qu'au Liban... Il arrive parfois qu'il y ait des arrière-salles dans ces tombeaux ou des salles contiguës qu'on n'ouvre pas tout de suite... S'il était possible d'y pénétrer avant le chef de chantier... Je ne veux pas vous donner le moindre espoir... Mais enfin... Une chance sur cent ou plutôt sur mille...

Il faudrait un témoin à une pareille découverte, si jamais elle se produisait... Pourquoi pas la propre fille de Hunter ?

— Schliemann a bien retrouvé Troie, dit Hunter. N'était-ce pas à l'origine une entreprise folle et vouée à l'insuccès ?

— Et Carnavon le tombeau de Toutankhamon...

Un peu plus tard, ils s'attablèrent tous trois sur la terrasse.

— Si je goûtais aux truffes du désert ? dit Stella après avoir parcouru la carte.

— Vous avez raison, c'est excellent, dit Elie.

Comment la jeune fille s'entendrait-elle avec les membres de l'expédition ? Avec Hélène et Ann, cela ne poserait aucun problème. Martha pouvait se montrer très désagréable, surtout lorsqu'elle avait bu... Dora était une petite sotte prétentieuse...

— J'ai une proposition à vous soumettre, dit Elie. Comme je pense que tous ces jours-ci vos affaires absorbent le plus clair de votre temps, voulez-vous que votre fille se joigne au petit groupe qui se rend à Palmyre ? Nous ne serons absents que deux jours et je crois que cette promenade l'amusera.

Stella eut l'air enchanté à cette perspective.

— Quelle bonne idée ! Rien ne pourrait me plaire davantage...

Hunter soupira :

— J'envie ma fille ! Vous êtes trop aimable de vous charger d'elle.

— L'agrément est pour moi, dit Elie en jetant un coup d'œil malicieux à Stella.

A la fin du repas, Vera se plaignit d'une violente migraine.

— Tu es restée trop longtemps sur la terrasse ce matin, immobile et sans chapeau, dit Martha. Nous allons rentrer et tu vas t'étendre dans l'obscurité.

Vera la suivit sans protester, contrairement à son habitude : elle essayait toujours de retarder le moment de quitter la plage, où elle se plaisait beaucoup. Ses yeux tirés, ses pommettes rouges et brillantes, inquiétèrent Martha, qui lui fit prendre sa température :

elle avait la fièvre et commençait à frisson-
ner tout en se plaignant de la chaleur.

Martha lui apporta un jus d'orange qu'elle
but avidement et des cachets.

— Tâche de dormir, dit-elle après avoir
tiré les rideaux. Je vais lire au salon ; si tu
as besoin de quelque chose, appelle-moi.

— Non, reste à côté de moi, supplia Vera.
Je ne veux pas être seule, j'ai peur...

— De quoi donc ?

— Je ne sais pas, mais reste...

En haussant les épaules, Martha céda et
s'installa au chevet de Vera qui s'assoupit un
moment, puis se réveilla en sursaut et rede-
manda à boire. Son front était brûlant et
de grosses gouttes de sueur perlaient à ses
tempes. Sa chemise de nuit était trempée et
Martha l'obligea à en changer.

Un peu plus tard, la température atteignit
40°. Inquiète, Martha appela le médecin qui
confirma qu'il s'agissait vraisemblablement
d'une insolation et promit de passer sous
peu : en attendant, il conseilla des compresses
glacées sur le front.

— Je me sens mal, ma tête est lourde, j'ai
des bourdonnements d'oreille. Surtout ne t'en
va pas.

— Je reste là, sois tranquille.

Maintenant, Martha avait l'impression de
s'occuper d'un enfant malade : quelles relations curieuses elle avait avec cette petite fille
qui geignait et se retournait sans cesse dans
son lit... Lorsque deux mois plus tôt, sur un

coup de tête et après un certain nombre de whiskies, elle avait proposé à Vera de passer quelques jours chez elle, pas un instant elle n'avait envisagé une cohabitation de plus d'une semaine ou deux. Et puis, elle s'était habituée à la présence de Vera qui, contrairement à deux ou trois jeunes personnes qui l'avaient précédée, ne s'était montrée ni envahissante, ni exigeante : c'était Martha qui la couvrait de cadeaux avec un espoir de posséder totalement cet être dont une partie lui échappait toujours.

La compresse glissa du front de Vera, qui gémit. Martha la rafraîchit et la reposa doucement.

— Cela te fait-il un peu de bien ?

— Oui... dit Vera d'une voix faible.

La main moite abandonnée sur le drap agrippa la sienne.

— Mon pauvre petit, dit Martha.

— J'ai soif... Il fait noir... Il y a quelqu'un derrière l'armoire...

— Mais non, il n'y a personne.

— Je le vois qui bouge...

— C'est le rideau agité par le vent.

Après un moment de répit, le délire reprit Vera : elle se dressa dans son lit, autant que ses forces le lui permettaient. Elle haletait légèrement et le regard fixe de ses yeux exorbités était celui de quelqu'un qui est en proie à une vision terrifiante.

— Il s'approche ! cria-t-elle. Il vient me chercher...

— Qui donc ? Je t'assure qu'il n'y a personne. Reste tranquille.

— C'est lui : je le reconnais.

De qui pouvait-il s'agir ? De Tuffic ? De
quelque monstre imaginaire ? Le médecin
arriva enfin. Il fit une piqûre calmante à
Vera, qui s'endormit d'un sommeil troublé.

A la fin du déjeuner, Ann constata avec
surprise qu'elle n'avait pas songé à Geoffrey
depuis près d'une heure : les mois précédents
cette pensée lancinante ne la quittait que pendant son sommeil. Et encore le visage de son
amant lui apparaissait-il souvent au milieu
de rêves incompréhensibles, suivis au réveil
d'un sentiment d'angoisse et de détresse. Elle
soupira. Bien sûr, si elle souhaitait guérir,
elle savait comment il fallait faire. Il fallait
se distraire par tous les moyens, en évitant
la solitude et l'oisiveté. Cependant si elle en-
trevoyait désormais comment sortir de ce tun-
nel glacé, il lui restait à le vouloir et à le
vouloir de toutes ses forces ; c'était un effort
comparable à celui d'un drogué au début d'une
cure de désintoxication. Il en admet la néces-
sité mais l'attrait de son vice demeure puissant, comme peut demeurer puissant celui de
la souffrance. En face d'elle, Pierre racontait
une histoire à Hélène : si elle parvenait à
tomber amoureuse de lui ou tout au moins à
s'en persuader pendant un certain temps, le

temps suffisant pour épuiser le souvenir de Geoffrey...

— J'ai peur que vous n'ayez trop de soleil, Leonora. Voulez-vous un chapeau de paille à moins que vous ne préfériez changer de place ? demanda Georges.

— Vous êtes gentil, je ne crains pas la chaleur, dit Leonora. Il me semblait que nous nous réunissions aujourd'hui pour parler du Prince : nous voici au dessert et son nom n'a pas été prononcé.

— Nous l'avions oublié, dit gaiement Hélène. Au fond, quoi qu'en disent certains, nous **nous passons** fort bien de lui !

— Ce n'est peut-être pas l'avis de tout le monde, dit le Consul.

Dora baissa la tête sur son assiette : pendant un instant, elle le haït. De quoi se mêlait-il ?

— Vous, dit Leonora au Consul, vos fonctions doivent vous donner des facilités pour vous procurer des informations sur le personnage.

— Malheureusement non, dit-il. Et je puis vous affirmer qu'il en est de même pour l'Ambassadeur. Nous nous en entretenions justement chez vous, Hélène, hier soir.

— Alors, abandonnons le corps diplomatique puisqu'il n'est d'aucun secours, dit Georges.

— **Moi**, dit Leonora après un silence pour jouir à coup sûr de son effet, j'ai connu le Prince autrefois à Rome chez la comtesse Chivella. A cette époque, il était ou se disait diplomate en congé. Le trouvant fort beau, je questionnai l'amie qui me l'avait présenté et elle m'apprit qu'il avait surgi environ un mois plus tôt, sans que l'on sût d'où. Depuis lors, il était la coqueluche de tous les salons romains.

— Comme ici, dit Georges.

— Un soir, la comtesse Chivella offrit une soirée de bienfaisance dans son palais, au profit d'une œuvre dont j'ai oublié le nom. Le clou de la réception consistait en une tombola dont les billets coûtaient dix mille lires. Elle donnait droit, naturellement, à des lots somptueux. Le Prince gagna une montre en or magnifique de chez Cartier ou Boucheron. Il eut l'élégance de la remettre aussitôt en loterie... Que dites-vous de cela ?

— Il est vraiment généreux, dit Dora. Elle voyait dans ce geste une indication favorable sur le caractère du Prince. Si elle réussissait à l'intéresser...

— Mais quelle réputation avait-il dans le cercle que vous fréquentiez ? demanda Hélène.

— Il se conduisait là-bas comme ici, c'est-à-dire qu'il s'arrangeait pour laisser les gens dans une ignorance totale sur son compte. Son comportement intriguait, les bruits les plus divers couraient à son sujet et personne ne savait rien de précis.

— A Palmyre, peut-être arriverons-nous à découvrir une partie de l'énigme, dit Pierre en souriant.

— Mais, Leonora, êtes-vous sûre que cet homme que vous avez vu à Rome et le Prince ne sont qu'une seule personne ? demanda Georges. Puisqu'ils ne portaient pas le même nom...

— En tout cas, ils se ressemblaient étrangement, dit Leonora pensive. Je l'ai reconnu aussitôt... Mais je ne peux pas prétendre qu'il m'ait rendu la pareille...

EN ROUTE POUR PALMYRE

A l'aube du samedi, dans la voiture d'Hélène avaient pris place le Prince, Ann et Pierre. Hélène conduirait jusqu'à Chtaura où on s'arrêterait pour une collation en compagnie des occupants de l'autre voiture, suivant à quelque distance, puis le Prince — ou Pierre — prendrait le volant.

Un peu ahuris par ce lever matinal, les voyageurs, après avoir échangé quelques phrases au moment du départ, s'étaient tus, regardant d'un air distrait se dérouler le paysage familier. La musique douce de la radio portait Ann, assise à l'arrière à côté de Pierre, à une légère somnolence. Elle flottait dans un état intermédiaire entre le rêve et la réalité du soleil qui se levait là-bas, derrière la montagne. Cette demi-conscience engendrait un bien-être, dû à l'oubli. Jusqu'au moment où un choc la réveillerait complètement, Ann pouvait errer dans ces limbes où le souvenir incertain était dépourvu d'arêtes aiguës et blessantes. Tout au fond de la forêt plongée dans la pénombre, une petite clairière commençait pourtant à émerger de la nuit, à recevoir les premiers rayons de lumière : il s'agissait seulement d'un répit, ce jeu de cache-cache dans le clair-obscur allait bientôt prendre fin. Mais pour l'instant, les loups, encore engourdis par le froid de la nuit, dormaient sous les arbres, inoffensifs comme de gros chiens. Tout à l'heure, comme chaque jour, Ann aurait de nouveau à affronter cette meute hurlante, à la tenir à distance, si elle ne voulait pas être submergée, dévorée. Parfois la tentation naissait, s'affirmait de se laisser tomber, puis engloutir pour que cesse ce vain et inégal combat...

L'image dévastatrice se superposa à celle du Prince. Des cheveux châtains, un peu en désordre, se mêlèrent aux cheveux noirs. Le cou s'allongea, s'amincit et l'image de Geoffrey, reconstituée à partir de cette mince bande de peau lisse au-dessus du col de la chemise, s'imposa, terriblement présente, aux yeux à demi fermés d'Ann. Le jeune homme se retourna et ce fut son sourire, son regard violent empreint d'un charme irrésistible, qu'Ann reçut en plein visage. Maintenant, il n'était plus possible d'esquiver la réalité, de tricher avec le passé qui appuyait de tout son poids. Ann soupira et se redressa légèrement : le Prince, tourné vers elle, lui tendait son étui à cigarettes. Machinalement elle en prit une tandis que son voisin lui donnait du feu. La saveur âcre du tabac la réveilla tout à fait :

que faisait-elle dans cette voiture avec ces gens qui ne lui étaient rien ? Même Pierre, dans les bras de qui elle venait de passer la nuit, se trouvait à une distance infinie, si grande qu'il pouvait bien disparaître sans qu'elle s'en préoccupât. La journée ne faisait que commencer ; comme les autres, il faudrait l'endurer jusqu'au bout...

— Vous n'avez pas trop d'air derrière ? demanda Hélène.

Dans le rétroviseur, elle apercevait tantôt l'un, tantôt l'autre de ses passagers. Elle ne les avait pas revus depuis le déjeuner de Georges d'Alvarez. Instruite par l'active rumeur publique, elle savait qu'on les avait vus dîner chez Temporel et déjeuner au Fishing Club. Ann, se dit-elle, avait de la chance d'intéresser un garçon agréable comme Pierre Fakry et pourtant elle portait sa mélancolie comme un brassard de deuil. Ce chagrin, qui durait depuis trois ou quatre mois maintenant, semblait excessif : Hélène concevait mal qu'on s'attachât à un être au point de perdre la tête. Cela lui paraissait même vaguement indécent.

Quant au Prince, on imaginait mal qu'il pût être bouleversé à ce point : son égalité d'humeur, qui avait un côté inhumain, finissait par provoquer chez Hélène une gêne confuse. Elle se sentait de moins en moins à l'aise avec lui. Elle le voyait presque chaque jour, mais leurs relations, apparemment amicales, restaient conventionnelles. La conversation se limitait aux incidents de la vie mondaine ; si elle s'élevait à un sujet d'ordre plus général, le Prince se gardait bien de prendre parti. Jamais il ne contredisait son interlocuteur, même s'il était manifeste que celui-ci se trompait. Le Prince se contentait de sourire.

Cette attitude dans une société cosmopolite, habituée à tolérer avec indulgence le comportement d'autrui, détonnait. Une spontanéité souvent démonstrative était de règle entre ses membres : la réserve persistante du Prince finissait par causer un sentiment d'inquiétude...

Quel crédit accorder au récit de Leonora Tabourian sur la générosité du Prince ? Hélène avait surpris à diverses reprises Leonora racontant des anecdotes qu'elle inventait pour amuser ou étonner. Ou peut-être se moquer, ce qui était assez dans sa manière : malgré son âge, elle avait conservé un goût de petite fille pour les farces et les mensonges.

— Vous n'êtes pas fatiguée, Hélène ? demanda Pierre.

— Je me sens surtout affamée. Je n'ai pris qu'une tasse de thé avant de partir. J'attends avec impatience notre halte à Chtaura.

— J'ai des biscuits, dit Ann. En voulez-vous ?

— Volontiers.

On traversait Bhamdoun. Partout se dressaient des éventaires chargés de pastèques et de melons d'eau d'un vert sombre et brillant.

Hélène évita de justesse un camion qui ne tenait pas sa droite.

— Quelle curieuse idée a eue Elie d'amener cette Américaine à Palmyre ! dit Pierre à Ann.

— N'était-ce pas avec elle qu'il se promenait l'autre nuit sur la corniche ?

— Peut-être... C'est la première fois que je vois Elie manifester de l'intérêt à un être humain.

— Il est capable de gentillesse, dit Ann en repensant à la scène qui s'était passée chez Hélène. Je te croyais son ami... On dit même...

Pierre sourit :

— Je sais... Cependant si je disparaissais, je ne crois pas qu'Elie en serait le moins du monde affecté.

Dans sa propre affection, Elie n'occupait pas et de loin, une place comparable à celle d'Antoine Wadi par exemple, dont il venait de recevoir une lettre. La lecture de ces deux pages griffonnées à la hâte et postées à Cuzco avait plongé Pierre dans une violente excitation qu'il avait essayé de faire partager à Ann la veille au soir et pendant une partie de la nuit.

Pierre avait fait presque toutes ses études avec Antoine, d'abord chez les Pères jésuites, puis à l'Université. Un penchant commun pour l'exploration et l'aventure les avait rapprochés : ensemble ils avaient découvert des amphores romaines au large de Byblos, tenté l'ascension du mont Hermon, plongé dans les

citernes du roi Salomon... Parti depuis six
mois en Amérique du Sud pour effectuer des
stages dans diverses sociétés, Antoine lui écri-
vait du Pérou qu'il avait abandonné les affaires pour s'installer à Cuzco, à quatre mille
mètres d'altitude. Il s'était joint à une équipe
d'archéologues qui explorait la région de Mac-
chu Picchu et menait une vie très dure mais
exaltante qu'il incitait vivement Pierre à venir
partager.

— Tu ne vas tout de même pas quitter une
situation comme la tienne, avait dit Ann réa-
liste. Dès la mort de ton oncle, l'affaire
t'appartiendra entièrement...

— Il faudra peut-être que j'attende longtemps. Dix ans, quinze ans, qui sait ? Et mon
travail m'ennuie : consacrer son existence
entière à une activité qu'on déteste, ce ne serait
pas la peine de vivre...

— Quand tu seras ton propre maître, tu
pourras t'organiser à ta guise. Si tu es bien
secondé, rien de t'empêchera de temps en
temps de chercher l'aventure dans un pays
lointain...

— Il sera peut-être trop tard...

— Trop tard ?

— Si l'envie m'en passait ? Que me reste-
rait-il ? J'ai peur de perdre ma vie...

A cela Ann n'avait rien répondu. De nouveau leurs corps s'étaient rapprochés, mêlés
avec une sorte d'élan — encore bien faible
mais élan tout de même — de la part de la
jeune fille. Du moins, Pierre en avait-il eu

l'impression. Il éprouvait de l'affection pour
Ann et il aimait la caresser lorsqu'un mouvement arraché au sommeil la rapprochait de
lui au milieu de la nuit. Elle s'éveillait à peine,
se laissait envahir par le plaisir et se rendor-
mait le visage détendu, la tête reposant sur
l'épaule de Pierre. Dans ces moments-là il
lui semblait qu'elle était heureuse ou du moins
qu'il réussissait à écarter d'elle pendant quelques heures son désespoir, mais il savait aussi
qu'il n'était pas épris d'elle. L'avait-il vraiment jamais été auparavant ? Après le départ
de Sandra, il l'avait pensé. Maintenant, il se
demandait s'il ne s'était pas fabriqué ce mal-
heur par un inconscient besoin d'occuper un
esprit complètement disponible. Elie, lui, s'il
ne s'intéressait guère aux êtres, était du
moins habité par une passion qui dévorait
chacun de ses instants. Pierre aurait aimé
pouvoir s'enthousiasmer pour quelque cause,
se donner un but, se vouer à une entreprise
à laquelle il aurait consacré toutes ses réser-
ves d'énergie... pourquoi demeurait-il si indifférent au monde, si peu concerné par ce qui
s'y passait ?

Contrairement à son habitude, Martha
s'efforçait de conduire à une allure modérée,
malgré l'envie qu'elle éprouvait de planter là
ses passagers et de retourner auprès de Vera
dont l'état la préoccupait. A la suite de son

insolation, elle avait donné des signes de dérèglement mental assez inquiétants. Une nuit, pénétrant dans la chambre de Vera pour s'assurer de son sommeil, Martha l'avait trouvée nue sur le balcon, en train de chanter une bizarre mélopée, très lente et très douce, une sorte d'appel peut-être, face à la pleine lune qui montait. Faisant semblant de ne pas reconnaître son amie — ou vraiment, était-elle ailleurs comme son regard fixe, fasciné par l'astre, semblait l'indiquer ? — Vera s'était ensuite laissé coucher et avait fondu en larmes sans fournir la moindre explication. Le lendemain, elle semblait ne se souvenir de rien et Martha n'avait pas fait allusion à l'incident de la nuit.

Et maintenant, à mesure qu'elle s'éloignait de Beyrouth, ayant laissé sans surveillance Vera qui, au dernier moment, avait refusé de l'accompagner, elle se sentait gagnée par un sentiment de malaise qui confinait à l'anxiété : pendant les deux jours où elle allait demeurer livrée à elle-même, quelle serait la conduite de Vera ? Que fallait-il redouter ? Martha avait laissé de l'argent à Vera, bien plus qu'il n'était nécessaire et sans doute la jeune fille le dépenserait-elle en frivolités, comme elle le faisait dès qu'elle disposait d'une certaine somme. Cela n'avait aucune importance. Mais si Vera, pour se distraire, invitait des gens... Si des inconnus, ramassés Dieu sait où, s'introduisaient chez elle, dérobaient des objets précieux, fouillaient dans ses armoires, abîmaient ses affaires...

Du Prince, Vera n'avait plus reparlé : le refus de se joindre à l'excursion était-il dû à sa présence ? Martha était bien décidée à regarder son poignet et l'éventuelle cicatrice. Elle souhaitait aussi mettre dans la confidence l'un de ses compagnons de voyage, mais lequel ? Elle détestait Hélène, le couple formé par Pierre et Ann lui paraissait ridicule et Dora l'exaspérait bien qu'elle la trouvât assez jolie. Le Consul peut-être... Oui, il venait d'ailleurs, il se montrerait discret et pourrait l'aider dans son entreprise. Elle lui jeta un coup d'œil de côté : il fumait paisiblement et semblait un peu somnolent. Pour l'instant, il était impossible de lui parler : de l'arrière, les autres surprendraient des bribes de conversation. Peut-être à Chtaura, sinon à Palmyre...

L'excitation avait empêché Dora de dormir une grande partie de la nuit. Au cours de l'ultime conversation téléphonique avec Elvire, elle avait humblement sollicité des avis sur la meilleure manière de se comporter pour s'attacher le Prince. Elle n'avait pas dit à son amie qu'en fait, elle n'était même pas certaine d'avoir retenu son attention, malgré la promenade dans le parc d'Hélène. Elvire lui avait conseillé de marquer peu d'intérêt au Prince et d'en feindre à l'égard d'un autre homme, tout en se montrant spirituelle, brillante et parfaitement élégante, même dans le désert. Dora avait raccroché un peu découragée devant ce programme qu'elle ne se sentait guère la force de réaliser : on lui avait assez répété qu'elle était sotte et à part Samir, qui était sans doute plus sot qu'elle, personne n'avait jamais admiré son esprit. Quand à l'élégance, elle voyait mal comment rivaliser avec Hélène et Martha. Même Ann qui s'habillait toujours très simplement avait une allure que Dora, se considérant tristement une fois de plus dans la glace, fut bien obligée de s'avouer qu'elle ne possédait pas. Il lui restait à feindre l'indifférence, ce qui, somme toute, était presque aussi difficile que le reste. En outre, elle s'inquiétait de l'intrusion de cette Stella rayonnante de santé et de joie de vivre, qui semblait fort cultivée — elle avait eu une conversation incompréhensible sur les Sassanides avec Elie Maran — et dont le vanity-case en lézard attestait l'aisance. Tout cela était bien déprimant. Le Consul lui-même l'avait à peine saluée au moment du départ et n'avait pas du tout insisté pour s'asseoir à côté d'elle dans la voiture. Si même lui cessait de s'occuper d'elle... Dora laissa échapper un énorme soupir de détresse.

— Vous n'êtes pas à votre aise ? demanda Elie. Voulez-vous que j'ouvre un peu la fenêtre ?

— Merci... Je crois que j'ai sommeil.

Elie sourit gentiment :

— Dormez un peu jusqu'à Chtaura. Je vous réveillerai et vous prendrez un bon café.

Elie s'en voulait affreusement de s'être montré imprudent et d'une naïveté stupide en se mettant à la merci de Farid Ghassan. Depuis qu'il connaissait Stella, il parvenait parfois à l'oublier, lui et ses menaces de chantage : la présence de la jeune fille lui faisait du bien, apaisait ses tourments. Et, dans le coffre de la voiture, enveloppé dans une serviette éponge et enfermé dans un grand sac de cuir se trouvait l'objet qui, si les événements se déroulaient suivant son plan, le délivrerait de son cauchemar.

Ce matin même, avant de partir, Elie avait longuement examiné la tête d'Aglibôl, exécutée d'après des tessères prêtées par un collectionneur. Le faussaire était si habile qu'il avait failli duper Elie lui-même. Due à de savants dosages d'acides, la patine de la pierre, couleur sable, se révélait parfaite : Aglibôl semblait émerger d'un sommeil souterrain de plusieurs dizaines de siècles... Et même, cela Elie osait à peine se l'avouer, il trouvait au regard du dieu une puissance mystérieuse, peut-être maléfique, en tout cas inquiétante comme tout ce qui concernait l'astre qu'il incarnait. Hier soir, Elie avait été obligé d'interrompre la contemplation de la tête, tant celle-ci le mettait mal à son aise : cette gêne provenait-elle de la pierre elle-même et du génie de l'artisan ? Ou du remords anticipé d'un forfait qu'il était sur le point de commettre ? Elie aurait souhaité montrer la statue à quelqu'un, à Pierre par exemple, pour savoir si elle lui faisait la même impression qu'à lui-même. Mais il s'était aperçu qu'il ne pourrait pas révéler son dessein à Pierre, son seul ami pourtant. Pierre ne comprendrait pas qu'il se fût laissé acculer au point que Ghassan le tînt en son pouvoir.

Quant à Hélène... Naturellement, elle ne le dénoncerait pas. Elle n'essayerait pas non plus de le dissuader de son projet. Elle n'essayait jamais d'influencer les autres ou de leur dicter leur conduite. Elle ne se mêlait en aucune façon de ce qui ne la concernait pas. Autrefois il avait attribué cette disposition au respect de la liberté d'autrui. Depuis quelque temps, il se demandait si cette distance qu'Hélène maintenait entre elle et son entourage n'était pas simplement la conséquence de sa sécheresse de cœur, de son égoïsme. Evidemment, Hélène n'était pas femme à dévoiler le peu d'intérêt qu'elle portait aux autres. Quand on parlait d'elle, le premier qualificatif qui venait à l'esprit était « parfaite ». Hélène était parfaite. Mais était-elle humaine ?

De ce côté-là, il ne pouvait attendre aucun soutien sinon qu'Hélène proposerait peut-être de lui prêter de l'argent.

De Stella au contraire, la seule à laquelle il ne pourrait jamais rien révéler, émanaient une chaleur, une vraie gentillesse qui avaient touché et séduit Elie. Elle avait oublié — ou n'avait jamais su — que la spontanéité et la fraîcheur existent, qu'il découvrait chez Stella. En ce moment, elle était tout occupée du voyage et son regard curieux ne laissait rien échapper du paysage qu'ils traversaient.

Le comportement de Dora, assise à sa droite, lui donnait envie de la gifler. Chez elle, tout était fabriqué, faux, respirait une prétention et une vanité que seuls excusaient son inculture et son manque total d'intelligence. Comment le Consul, qui était loin d'être sot, pouvait-il supporter la compagnie de cette péronnelle qui roulait des yeux extasiés chaque fois qu'elle rencontrait le Prince ? Qu'imaginait-elle donc ? Que le Prince allait s'éprendre d'elle et l'épouser peut-être ? Elle en était bien capable : tout à l'heure, elle avait paru déçue de ne pas monter dans l'autre voiture...

Le Consul écrasa son mégot dans le cendrier et ce geste le tira du demi-sommeil auquel il se laissait aller depuis le départ. Il avait tendance à s'endormir en voiture, à s'abandonner avec confiance au chauffeur. Martha conduisait bien, rapidement, mais sans prendre de risques. Il avait souvent entendu dire que la manière de conduire reflétait le caractère des gens. C'était bien possible après tout.

De nouveau surgit l'inquiétude, qui ne l'avait presque pas quitté la veille, d'autant plus déplaisante qu'il ne s'agissait en fait de rien de précis. L'attitude de Tania, sa collaboratrice, lui paraissait s'être modifiée depuis quelque temps. Non qu'elle se montrât familière dans ses propos ou son attitude ou que son zèle pour le travail se fût relâché... Non, ce n'était pas cela. Mais parfois, dans son propre bureau, le Consul avait l'impression d'être un intrus, comme si Tania le jugeait quantité négligeable. L'avait-on informée indirectement d'un éventuel changement de poste ? Pour elle... ou pour lui ? Il avait cru voir aussi, deux jours auparavant, qu'elle avait raccroché précipitamment le téléphone lorsqu'il était entré dans son bureau. Bien sûr, il pouvait s'agir d'une conversation privée... Après tout, le Consul ignorait tout de la vie de sa secrétaire en dehors des heures de bureau. Il savait où elle habitait et qu'elle se rendait parfois pour les week-ends à Sofar, chez une dame libanaise assez âgée, qui l'avait prise en amitié. Avait-elle reçu des ordres pour le surveiller ? Jusqu'à présent il ne croyait pas qu'on l'avait suivi dans la rue, comme cela lui était arrivé dans son pays : il savait repérer d'éventuels suiveurs assez rapidement. Il ne pensait pas non plus qu'elle fouillât dans ses tiroirs. D'ailleurs, il ne possédait aucun papier compromettant : plusieurs de ses amis avaient payé d'une longue détention des imprudences de ce genre. Cela lui avait servi de leçon.

Chez Akl, à Chtaura, Martha s'assit à côté

du Consul. Elle avait renoncé à téléphoner à
Vera : à cette heure, elle dormait encore et
serait furieuse d'être réveillée. Elle était capable aussi de ne pas répondre.

Tout en buvant son thé, Martha remarqua
que Dora lui jetait des coups d'œil furieux.
Elle lui sourit : décontenancée, la jeune fille
détourna le regard. Sans doute enrageait-elle
de n'être pas parvenue à s'installer près du
Prince sur lequel Hélène veillait. Pour l'instant, comme il faisait froid à cause de l'altitude, le Prince portait un pull-over dont les
manches longues recouvraient ses poignets.
Il faudrait attendre l'arrivée à Palmyre.

La conversation animée permettant d'avoir
un bref aparté, Martha dit à mi-voix à son
voisin :

— Et si le Prince n'était pas le Prince !

— Qu'est-ce que vous voulez dire ?

— Leonora Tabourian vous a raconté une
histoire où il est dépeint sous un certain
jour... Quelqu'un d'autre fait sur le Prince un
récit qui ne semble pas concerner le même
personnage...

— C'est très bizarre.

Le Consul paraissait intrigué.

— N'est-ce pas, dit Martha.

De l'autre côté de la table, Hélène observait Stella avec attention : elle paraissait intéresser vraiment Elie. C'était bien la première
fois qu'Hélène le voyait dans cet état d'exaltation, avec cet air presque heureux qui éclairait son visage. Il semblait déjà sur un pied

d'intimité avec elle, pourtant il ne devait pas
la connaître depuis longtemps : à Beyrouth, à
moins de précautions extraordinaires, il était
difficile de dissimuler une nouvelle amitié
plus de quelques jours et même parfois de
quelques heures. L'aurait-il connue autrefois
et retrouvée ? Elie avait séjourné en Amérique deux ou trois ans auparavant...

Le regard d'Hélène quitta la jeune Américaine pour se poser sur Martha. Que chucho-
tait-elle de cet air mystérieux au Consul, qui
l'intéressait si fort malgré sa fatigue visible
à ses traits tirés qui révélaient une nuit sans
sommeil ? Des rumeurs étranges circulaient
en ville à son propos : on prétendait qu'afin
de se mettre à l'abri de certaines critiques, le
Consul allait épouser Dora. Etait-ce sur une
incitation de son gouvernement ? Ou projetait-
il de s'installer au Liban pour ne pas retourner dans son pays où la vie était moins
facile... Que pensaient les parents de Dora de
ce projet — à supposer qu'ils en aient été
informés ? Etant dépourvus de fortune, il ne
leur serait évidemment pas aisé de marier
une fille sans grands attraits, qui n'appor-
terait à son mari ni alliance brillante ni relations dans les affaires. De plus elle était sotte.
Mais dans ce pays, cela n'avait pas beaucoup
d'importance.

Quant à Dora elle-même, ses intentions
semblaient fort différentes : elle essayait par
tous les moyens de susciter l'intérêt d'un

homme qui n'en témoignait à personne. Elle
perdait son temps...

— Je suis contente d'être ici, dit Stella à
Elie. J'ai l'impression que je ne serai plus
jamais la même maintenant que j'ai découvert l'Orient : c'est comme si le monde s'était
brusquement élargi...

— Beaucoup de femmes et surtout des
Anglo-Saxonnes ont été sensibles à la séduction de ces pays, dit Elie en souriant. Certaines n'ont pas hésité à tout abandonner pour
vivre en Orient. Vous avez entendu parler de
la plus célèbre d'entre elles, Lady Hester
Stanhope, enterrée d'ailleurs au Liban. Mais
connaissez-vous l'histoire de Jane Digby, la
fille d'un amiral anglais ?

— Non, dit Stella, racontez.

— Cette femme était une aventurière au
vrai sens du mot et une romantique du début
du XIXe siècle. A vingt ans, elle part avec son
cousin pour le Moyen-Orient, avec l'intention
de visiter La Mecque sous un déguisement.
Mais le voyage est interrompu à Alep : Jane
et son cousin ont négligé de retirer leurs
chaussures en pénétrant dans une mosquée...
Après avoir été presque mis en pièces par la
foule, ils sont conduits en prison. Le cousin
y attrape la peste et meurt peu de temps après
leur libération. Voilà qui aurait suffi à dégoû-
ter n'importe qui de l'Orient.

— En effet, reconnut Stella.

— J'ai oublié de vous dire qu'auparavant,
Jane avait été mariée à dix-sept ans et avait

eu un fils de Lord Ellenborough, qui avait cessé de s'occuper d'elle avant même la fin du voyage de noces.

— Elle était belle ?

— Merveilleuse... A son retour d'Orient, elle s'éprend du prince Swarzenberg qui ne consent pas à l'épouser malgré les deux filles nées de cette liaison. Jane se retrouve seule à vingt-trois ans et sans enfants : le premier est mort et elle a abandonné ses filles au Prince. Elle est donc libre de repartir pour de nouvelles aventures et se met à voyager en Italie, en Autriche et en Allemagne. Elle devient la maîtresse de Louis Ier de Bavière puis épouse le baron von Venningen, au grand soulagement de sa famille. Après deux ans de vie conjugale paisible et la naissance de deux enfants, Jane Digby commence à trouver l'existence un peu monotone. Elle rencontre un Grec, Theotoky, et une fois de plus c'est la folle passion. C'est aussi le retour en Orient où elle n'est pas revenue depuis sa fâcheuse équipée. Nouveau divorce, puis après quelque temps passé à Paris, elle s'installe à Corfou avec son nouveau mari.

— Et les enfants ?

— Elle les a laissés au baron. D'ailleurs un sixième lui naît, Léonidas, le seul qu'elle ait aimé. A l'âge de six ans, il tombe par la fenêtre et se tue. C'est une tragédie pour Jane qui se sépare de son mari et reprend sa vie errante. Elle vit quelque temps avec un pali-kare dans les montagnes albanaises, puis trompée par lui, part pour la Syrie.

— Nous y voilà. Quel âge a-t-elle à ce moment-là ?

— Environ quarante-cinq ans. Elle est toujours belle, séduisante et suffisamment riche pour continuer à mener une vie extravagante. Elle parle huit langues, est extrêmement cultivée, peint, sculpte et fait de la musique. Surtout, elle monte admirablement à cheval. Avec Salih, un jeune cheikh arabe, elle découvre la vie sous la tente, l'hospitalité arabe et les guerres entre les tribus le long du Jourdain et de l'Euphrate. Elle part seule pour Palmyre malgré le danger. A l'époque, la tribu des Anazeh contrôlait cette région du désert : Jane obtient d'être escortée par leur chef, Medjuel el Mezrab, homme noble et courageux, instruit de l'histoire et des légendes de l'ancienne Syrie. Jane et son compagnon chassent l'antilope et le loup, dévorent des quartiers de mouton grillé et chevauchent inlassablement sous le soleil. Une nuit, une tribu rivale attaque la caravane et Medjuel se bat avec un courage qui suscite l'admiration de Jane : enfin elle mène la vie exaltante sous le ciel d'Orient, dont elle a toujours rêvé. Elle décide de régler ses affaires à Athènes et de venir s'installer définitivement à Damas. Elle apprend l'arabe et commence à explorer la contrée. Elle part pour Bagdad : elle est désormais un personnage célèbre, presque légendaire en Orient et ses aventures se racontent dans les bazars et sous les tentes. Medjuel, très épris d'elle depuis leur expédition à

Palmyre, vient la rejoindre et lui offre une magnifique jument arabe. Jane Digby, après tant d'errements et de folies a trouvé finalement l'homme de sa vie : elle épouse Medjuel à Homs, malgré le vif mécontentement du Consul de Grande-Bretagne.

— J'imagine cela, dit Stella. Ils vécurent heureux ?

— Pendant trente ans.

— Il n'y a pas de morale !

— Ce genre de destin échappe à la règle commune.

Tandis qu'on regagnait les voitures, Dora s'approcha du Consul :

— Vous semblez vous amuser beaucoup avec Martha, lui dit-elle aigrement.

— Moi ? dit-il d'un air innocent.

— Tout le monde a remarqué votre aparté...

— Je m'étonne qu'en ce qui vous concerne vous ayez pu observer quoi que ce soit : vous n'avez pas quitté le Prince des yeux. Je n'ai pas eu l'impression qu'il vous regardait avec la même insistance...

Dora chercha une réplique cinglante qui clouerait le Consul. Malheureusement, aucun de ces traits d'esprit, qui venaient si aisément aux lèvres d'Hélène ou de Martha, ne se présenta à elle. Furieuse, elle lui tourna le dos et se sentit misérable. Déjà, en passant devant une glace, elle avait aperçu son nez brillant et ses cheveux ternes. Si Elvire se doutait du peu de succès qu'elle obtenait, elle se moquerait d'elle sans pitié... Mais d'ici le retour, Dora saurait bien mettre au point un récit de cette excursion à faire pâlir de jalousie son amie... Piètre satisfaction qui, pour l'instant, semblait devoir être la seule.

Martha avait visiblement décidé d'accaparer le Consul : elle lui avait même pris le bras. Pierre et Ann ne se quittaient pas, Elie ne s'occupait que de Stella et le Prince escortait Hélène. Dora était donc de trop et aurait été mieux avisée en s'abstenant de venir. Restée à Beyrouth, à quoi aurait-elle employé ce week-end ? Elle n'avait reçu aucune invitation : unique distraction qui s'offrait, une séance de cinéma avec Samir et Michelle... De quelque côté qu'elle se tournât, tout n'était que désolation...

— Je vais conduire, dit le Prince à Hélène. Reposez-vous un peu.

— Oh! je ne suis pas fatiguée mais je vous abandonne volontiers le volant. Voyons, nous n'avons oublié personne?

— Dora traînait en arrière tout à l'heure, dit Pierre.

— Cette jeune personne a l'air sombre, dit le Prince. Quelque chose l'aurait-il contrariée?

— Je ne crois pas, dit Hélène en souriant. Ou plutôt, je pense que vous êtes la cause de cet air sombre.

— Moi ? Que lui ai-je fait?

— Cherchez, dit Hélène.

Pierre et Ann se mirent à rire.

— Hélène n'est pas très charitable de vous

dévoiler ce dont vous n'avez pu manquer de vous apercevoir, dit Pierre.

— A savoir ?

— Que vous plaisez beaucoup à cette jeune personne.

— Quelle drôle d'idée, dit le Prince. Je n'ai pas échangé plus de quelques phrases avec elle. J'avais d'ailleurs cru comprendre que le Consul...

— C'est un aspect de l'affaire, dit Hélène. Pas le seul...

— Les complexités de votre vie sociale me déroutent toujours, dit le Prince.

— Comme nous n'avons pas grand-chose à faire, nous nous ingénions à la compliquer, avoua Hélène.

« Ces gens sont si futiles, songeait Ann. Ils ne pensent qu'à s'amuser, s'observent mutuellement pour médire les uns des autres sans souci des conséquences. Même Pierre qui n'est pas méchant se plaît à ce genre de conversation... Heureusement qu'ils ne se sont jamais doutés pour Geoffrey : que n'auraient-ils pas dit, supposé, inventé... Dora n'est pas très sympathique : est-ce une raison pour révéler au Prince l'attrait qu'il exerce sur elle ? Hélène sacrifierait sa propre mère pour un bon mot... Martha dit n'importe quoi, à cause de sa jeunesse peut-être elle est encore plus cruelle qu'Hélène... Elie peut se montrer gentil... Mais n'est-ce pas une attitude super-ficielle ? Ces gens ne peuvent pas devenir des amis, ils sont prêts à vous trahir au pre-

mier prétexte, à vous abandonner si vous
cessez d'être à la mode, *dans le coup*... Ils ne
sont pas capables d'attachements vrais, dura-
bles, ils ne recherchent que le plaisir et celui
de paraître est le plus vif qu'ils puissent
éprouver... »

— A quoi penses-tu ? demanda Pierre.

— Aux agréments de la vie en société.

— Tu dis cela d'un air dégoûté.

— Quel autre air conviendrait ?

— Tu es sévère, dit Pierre en riant. Malheureusement, je crois que tu as raison...
J'ai envie d'être seul avec toi.

— Moi aussi, dit Ann gentiment. Ce soir,
nous nous promènerons dans les ruines au
clair de lune et tu me parleras de la reine
Zénobie.

— Elie te raconterait son histoire mieux que
moi, mais je ferai mon possible... Demain, nous
nous réveillerons avant le lever du jour pour
ne pas manquer Palmyre aux premiers rayons
du soleil.

— Tu y es allé souvent ?

— Une fois seulement, il y a plusieurs années, avec un de mes amis, celui dont je t'ai
lu la lettre hier soir.

— Le tentateur...

— Oui, dit Pierre songeur.

Dans l'autre voiture, Dora s'était endormie.

— J'ai l'impression qu'elle me déteste, dit
Stella à Elie.

— Rassurez-vous, vous n'êtes pas la seule :
Dora est ainsi, lorsque les autres sont mieux
partagés qu'elle, elle ne peut s'empêcher de
leur en vouloir.

— Cela se lit sur son visage.

— Elle a une vilaine nature, constata Elie.
En revanche, je suis sûr que vous vous enten-
drez très bien avec Ann Parott, qui est beaucoup plus intéressante... Un peu triste parfois,
elle a eu une déception sentimentale.

— Pierre ne la console pas ?

Elie sourit :

— Il semble s'y employer... J'espère qu'il
y parviendra.

— Je crois que vous êtes surtout lié avec
Hélène. Parlez-moi d'elle, je la trouve merveilleuse.

— Vous aussi... Personne ne dit de mal
d'elle : c'est un tour de force sans égal d'avoir
réussi à faire l'unanimité...

— Vous n'êtes pas tendres les uns avec les
autres.

— Pourquoi le serions-nous ? J'ai connu
Hélène avant son mariage et je ne l'ai jamais
perdue de vue depuis.

— Elle est veuve ?

— Oui. Je ne crois pas qu'elle éprouvait
une folle passion pour son mari. A sa mort,
sa douleur s'est exprimée avec modération.
Que puis-je vous dire d'autre à son sujet ?
Qu'elle est la meilleure hôtesse de Beyrouth,
que si elle a des aventures elle les mène si
discrètement qu'on les ignore, qu'aucune cir-

constance ne la prend au dépourvu : elle agit toujours exactement comme il convient.

— Voilà un grand compliment !

Comme de coutume, le passage à la frontière s'éternisa. Martha tenta de voir le passeport du Prince pendant qu'il le présentait au douanier. Mais un étui de cuir fauve le recouvrait.

— Vous qui avez l'habitude des passeports, dit Martha au Consul, la dimension de celui du Prince vous donne-t-elle une indication sur sa nationalité ?

— Non... Je crois seulement pouvoir affirmer qu'il ne s'agit pas d'un passeport européen... Maintenant, rien ne l'empêche d'en posséder deux ou même trois...

On s'arrêta à Damas pour que le Prince et Stella visitent la Grande Mosquée. Dora ne l'avait jamais vue mais elle préféra courir les souks avec Hélène et Martha, qui dévalisaient les boutiques. « Comme elles ont de la chance, se disait Dora, de choisir à leur gré parmi ces soies brochées, ces lamés somptueux qu'elles confieront à leur couturière en revenant... »

— Vous n'achetez rien ? demanda perfidement le Consul.

Dora fit une moue dégoûtée :

— Ces étoffes ne sont pas de très bonne qualité. On en trouve de plus belles à Beyrouth...

— Les raisins sont trop verts... dit le Consul en riant devant l'air perplexe de Dora.

Un peu plus loin, il rejoignit Hélène qui se faisait montrer des nappes brodées.

— Il me semble que votre amie n'est pas dans un jour faste, remarqua Hélène.

— J'en ai par-dessus la tête de ses réflexions idiotes, de son ignorance, de sa bêtise...

— Tiens... Alors vous n'allez pas l'épouser ?

— L'épouser ? Il n'en est pas question... J'aimerais mieux vivre sur une île déserte !

— Pourtant, insinua Hélène, n'est-elle pas la seule personne à laquelle vous vous inté-ressiez ?

— J'avais pitié d'elle au début, répondit le Consul, gêné. Je croyais qu'on pouvait lui apprendre...

— Et puis, elle devait vous changer de vos fréquentations habituelles...

Et Hélène planta là le Consul, le gratifiant d'un sourire, pour suivre un vendeur dans l'arrière-boutique.

Qu'avait-elle voulu dire ? Ou n'était-ce que trop clair ? Il fallait qu'il se surveille davan-tage encore... Avait-il laissé échapper quel-ques phrases imprudentes ? L'avait-on vu chez Irina ou en d'autres lieux moins avouables encore ?

C'était bien dans la manière d'Hélène de semer le trouble chez autrui par des allusions perfides : elle était trop sûre d'elle, sûre de ne donner prise à aucune médisance... Il devait pourtant exister une faille dans cette appa-rence irréprochable... Si un jour il parvenait à la découvrir... L'autre matin, sur la plage, elle s'était montrée si aimable : pourquoi ce brusque revirement ? En quoi lui avait-il

déplu ? Ou cette humeur changeante n'était-
elle qu'un caprice de femme oisive... Décidé-
ment, malgré ses mauvaises manières et son
caractère difficile, il préférait Martha : elle
était plus franche, plus directe... Après l'avoir
dédaigné si longtemps, Martha portait soudain au Prince un intérêt extraordinaire :
était-ce depuis qu'elle lui avait tiré les cartes ?
Ou bien avait-elle appris quelque chose comme
elle le laissait entendre... Il saurait cela ce
soir, à Palmyre...

Le Prince sortait de la mosquée avec Elie et
Stella.

— Alors, dit Martha, quelles sont vos impressions ?

— C'était magnifique, s'exclama Stella, je
n'avais encore jamais vu de mosquée.

— Ce ne doit pas être votre cas, poursuivit
Martha en s'adressant au Prince. Ne préférez-
vous pas les mosquées du Caire ?

Le Prince parut hésiter un court instant :

— Non... Malgré une restauration un peu
voyante, je préfère celle-ci...

Donc il connaissait Le Caire...

PALMYRE

Au pied des collines crayeuses se détachaient les ruines de la fabuleuse Tadmor, ocres sur le sable blond. Pierre ressentit un choc profond qui le fit presque trembler de bonheur. Ces colonnades, ces temples, vestiges d'une cité jadis florissante, éveillaient en lui une émotion si forte qu'il parvenait à peine à la dissimuler. Depuis qu'il s'était rendu à Petra, deux ans auparavant, il n'avait plus éprouvé cette sensation de plénitude qu'aucun être humain ne lui avait jamais inspirée. Parmi les pierres abandonnées à moitié enfouies sous le sable, à l'abri de l'enceinte de Justinien qui émergeait çà et là du sol et courait autour de la ville, les problèmes qui le tourmentaient jusqu'à l'obsession, à Beyrouth, devenaient dérisoires.

Pourquoi n'était-il parfaitement heureux qu'en s'évadant du présent, en vivant par la pensée au sein des civilisations disparues ? Peu importait que celles-ci fussent romaines, grecques ou assyriennes : il suffisait que des traces grandioses de leur génie subsistent, témoignant de la perfection atteinte et servant de support à l'imagination pour abolir siècles ou millénaires. Et Pierre ne doutait pas qu'en Amérique du Sud, la pyramide de la Lune ou la cité secrète des Incas lui dispenseraient les mêmes félicités.

Au début de ses relations avec Elie Maran il avait cru que son ami partageait son exaltation. Mais Elie aimait les *objets,* rien pour lui ne remplaçait le contact de la pierre, du bois ou du métal et sa passion était plus aisée à satisfaire. Pierre, lui, devait se trouver sur les lieux mêmes où avaient vécu ces peuples qui avaient su honorer leurs dieux en leur édifiant des demeures dont la splendeur avait résisté au temps, au vandalisme, aux cataclysmes naturels.

En étudiant des plans et en alignant des chiffres dans le bureau de l'oncle Jawad, il rêvait du destin exemplaire d'un Lord Carnavon ou d'un Schliemann. Seulement, s'il voulait tenter de les égaler, que de sacrifices à consentir : abandonner les facilités et les agréments de sa vie présente et surtout renoncer à ce chemin tracé, peut-être celui de l'ennui et de la monotonie, mais aussi celui de l'aisance et de la sécurité. Il fallait faire ce choix sans tarder : quand il serait pris dans les rouages de l'existence d'un homme d'affaires, d'un directeur, d'un époux, qui sait d'un père de famille, il ne serait plus temps de s'enfuir. C'était *maintenant...*

Et pour s'engager dans une nouvelle voie, il lui faudrait faire preuve d'un courage qu'il n'était pas sûr de posséder. La première étape franchie — la rupture avec sa vie actuelle — une longue période d'apprentissage, d'adaptation et d'efforts s'ouvrirait devant lui. L'obligation de recommencer tout un cycle d'études, d'acquérir de nouvelles connaissances, de se familiariser avec d'autres méthodes de travail, l'épouvantait. Et s'il faïblissait au cours de cette initiation ? Lui serait-il encore possible de reprendre la vie au point où il l'aurait laissée ? Les choses ne demeureraient pas immuables pendant son absence, il était assez lucide pour s'en rendre compte. Ce choix revêtait un caractère définitif ; Pierre n'était plus à l'âge où la société vous accorde des répits et des sursis.

A cette croisée des chemins, il ressentait vivement le besoin d'être conseillé : jusqu'à présent, il s'était toujours trouvé quelqu'un auprès de lui pour le diriger et même souvent pour lui imposer une conduite. Dans son enfance, il avait naturellement suivi les avis de sa mère, veuve de bonne heure. Lorsque son fils avait atteint l'âge de seize ans, elle s'était déchargée avec soulagement de son rôle de mentor en faveur de l'oncle Jawad. D'une manière autoritaire, déplaisante aux yeux de Pierre, surtout depuis qu'il se considérait comme un adulte, l'oncle avait orienté la vie de son neveu sans jamais lui demander ses goûts et ses préférences. En l'absence de toute vocation, Pierre s'était soumis, soupirant parfois, mais sans se révolter.

Maintenant, il se trouvait seul, livré à l'incertitude : il n'avait pas de frère aîné, ni de cousin proche. Il n'avait gardé aucun lien particulier avec l'un ou l'autre de ses professeurs. Réduit à ses seules ressources pour prendre une si grave décision, Pierre se sentait accablé.

Dans un nuage de poussière les voitures s'arrêtèrent devant l'hôtel de la Reine Zénobie. Hélène dit au Prince :

— Vous ne trouverez pas ici le confort du Carlton. Comme compensation, je vous raconterai l'histoire de l'ex-propriétaire de l'hôtel, personnage pittoresque et cruel dont les mœurs ressemblaient à la fin de sa vie à celles de Marguerite de Bourgogne. Mais pour l'instant, installons-nous rapidement et ressortons pour ne pas manquer le coucher de soleil.

— Très bien, dit Ann. Dépêchons-nous, il reste à peine une heure de jour.

— Prenez des pull-overs, recommanda Elie. Dès que le soleil disparaît, la température baisse de plusieurs degrés.

« Et le règne d'Aglibôl commence, pensa-t-il. » La lune décroissait, mauvais présage. On disait que la lune montante favorisait les entreprises. Malheureusement, il n'était pas en son pouvoir de modifier la course de l'astre.

En arrivant, Elie avait trouvé un message de Khalil, un ouvrier qui travaillait aux fouilles des tombeaux récemment découverts, lui fixant rendez-vous après le dîner et aussi le prix de sa complicité : deux mille livres en espèces. Elie avait emporté de quoi satisfaire ces prétentions assez raisonnables et tout à l'heure, en allant placer Aglibôl dans son tombeau, il remettrait la moitié de l'argent à Khalil. La nuit suivante, il emmènerait Stella qui assisterait à la découverte du buste et au règlement de l'ouvrier. Ainsi, il aurait un témoin. Il éprouvait quelques remords d'entraîner la jeune fille dans cette aventure mais il n'avait pas le choix s'il voulait se libérer de Farid Ghassan.

Devant l'hôtel, Elie retrouva les autres membres du groupe, chargés d'appareils photographiques et de caméras.

— En route, dit-il. Nous allons commencer par le petit temple de Baal qui est tout proche.

Pendant que les uns et les autres s'éparpillaient parmi les ruines, Hélène aperçut Martha qui prenait des photos du Prince à la dérobée. Malgré son peu d'amitié pour celle-ci, elle s'en étonna : jusqu'à présent, Martha n'avait pas manifesté le moindre intérêt pour le Prince... A vrai dire, pendant qu'elle le guettait, à l'abri d'une colonne ou d'un pan de mur, son expression n'était pas celle d'une personne photographiant l'être cher... C'était plutôt celle du chasseur attendant sa proie.

Le Prince avait emporté de la vodka dont on but deux bouteilles avant le dîner : celui-ci fut très animé malgré la chère médiocre servie à la table d'hôte où figuraient un uni-

versitaire américain qui préparait une thèse
sur le règne de Zénobie et un couple d'Ita-
liens appartenant apparemment à la meilleure
société.

— Vous avez remarqué, dit Martha au Consul, que le Prince parle couramment l'italien.

— Cela confirmerait l'histoire de Leonora.

— Et ne contredirait pas celle que je vous
raconterai...

— Si vous voulez, nous nous éclipserons
discrètement au cours de la promenade après
dîner... Je vous ai vue tout à l'heure...

— Prendre des photos ?

— Oui. Hélène aussi l'a remarqué.

— Pensez-vous qu'elle l'ait dit au Prince ?

— Je ne crois pas... mais elle avait l'air
intrigué.

— J'imagine ! dit Martha en souriant. J'ai
besoin de ces photos pour les montrer à quelqu'un qui a connu le Prince autrefois.

En rentrant à Beyrouth, elle les ferait aussitôt développer. Vera les examinerait dans le
calme. Elle avait fini par reconnaître qu'elle
n'était plus tout à fait certaine que l'homme
aperçu un instant à la plage du Saint-Georges
et Tuffic fussent la même personne. Martha
avait pris suffisamment de clichés pour qu'il
y en eût au moins deux ou trois réussis.

En pensant à Vera, Martha se sentait inquiète. Comment employait-elle sa soirée ? A
manger des chocolats en regardant la télévision dans le salon ? Martha essayait de retenir
cette image rassurante pour ne pas en évo-

quer d'autres. En rentrant de la promenade avec le Consul, elle essaierait d'appeler Beyrouth.

Depuis son insolation, la bizarrerie de Vera s'était beaucoup accentuée. Au fond d'elle-même, Martha reconnaissait que son amie n'était pas tout à fait équilibrée : ses angoisses nocturnes, ses caprices, l'incohérence de ses discours parfois, la crainte manifestée certains jours à l'idée de descendre dans la rue... N'était-il pas imprudent de cohabiter avec un être aux réactions imprévisibles : si une nuit, Vera, prise de folie, tentait de la tuer... Peut-être aussi ce climat d'appréhension contribuait-il à rendre les rapports avec Vera plus piquants, plus excitants...

Le spectacle de la gaieté qu'elle ne partageait pas rendait Dora morose : les autres ne remarquaient guère sa présence. Elle ne comptait pas à leurs yeux, à peine lui adressait-on la parole de temps à autre : si elle disparaissait, qui s'en aviserait ? Elle n'avait de place nulle part, elle se sentait en trop... Pourquoi ne parvenait-elle pas à intéresser un être humain ? Même Hélène qui, autrefois, s'était montrée assez gentille pour elle, l'ignorait depuis l'arrivée du Prince... Peut-être avait-elle eu tort d'essayer de pénétrer dans ce milieu supérieur au sien, armée de sa seule jeunesse et d'une beauté que son miroir lui confirmait parfois et aussi les yeux des passants... Elle suscitait quelquefois le désir, l'amour jamais. Bien qu'elle eût prétendu le contraire devant Elvire, elle n'avait pas encore reçu la moindre déclaration. En revanche, quelques messieurs d'un certain âge, ventripotents, chauves et fort riches lui avaient proposé de partager leurs soirées deux ou trois fois par semaine : ils étaient prêts d'ailleurs à lui faire des cadeaux, à lui offrir des robes par exemple... Elle n'en était pas à ces expédients...

Bien sûr, elle avait la satisfaction de se dire qu'elle fréquentait la haute société, qu'elle côtoyait des ministres, des ambassadeurs et des étrangères titrées plus ou moins riches, fort prisées par les Beyroutins facilement éblouis par des noms ronflants dont ils ne cherchaient guère l'origine. Ainsi une fausse comtesse italienne, l'an dernier, avait fait courir tout Beyrouth... Ces soirées au déroulement immuable auxquelles elle était conviée non pour sa conversation — on lui avait assez répété qu'elle n'en avait pas — mais pour sa beauté (combien de fois avait-elle entendu dire : « On invite la petite Rawad ? Une jolie fille ça fait toujours bien dans le décor. ») lui laissaient un goût d'amertume. Elle ne tirait aucun plaisir de ces réceptions : elle ne s'y amusait pas, constamment soucieuse de l'effet qu'elle produisait, et préoccupée de n'être pas aussi élégante que les autres femmes. Parfois, elle essayait de se montrer amu-

sante comme Elvire le lui avait recommandé.
Elle débitait des histoires glanées ici ou là et
le résultat en était toujours décevant : ou on
connaissait l'histoire, ou pire, on ne la jugeait
pas drôle... Pourtant, elle les rodait sur Samir,
qui riait de bon cœur. Ce qui divertissait les
gens comme lui n'avait hélas aucun succès
auprès de cette société brillante, blasée, toujours en quête de nouveautés.

Chez elle, Dora n'était pas plus heureuse :
sa famille lui semblait vulgaire, uniquement
préoccupée de détails matériels. Elle serait
morte de honte si l'idée était venue à Hélène
ou à Martha de franchir le seuil des Rawad...
Elle souffrait de voir sa mère traîner en
chaussons dans l'appartement, recevoir des
voisines aussi peu soignées qu'elle, mais en-
chantées de bavarder des heures durant en
buvant du café et en mangeant des loukoums.

Quant à M. Rawad, il partait de bonne heure
pour son bureau, bien avant le réveil de sa
fille. Il occupait un emploi modeste, sans avenir mais honorable, dans le même établisse-
ment depuis vingt ans. Il revenait vers deux
heures, anxieux de connaître le menu que sa
femme lui proposait. Il mangeait de très bon
appétit, avec un plaisir évident, et grondait
Dora qui chipotait dans son assiette pour
« garder la ligne ». Ensuite il se livrait aux
délices de la sieste et la minceur des cloisons
permettait d'entendre parfaitement ses ronfle-
ments de tout point de l'appartement. Réveillé,
il allait retrouver ses amis au café pour jouer

au jacquet et commenter les événements du jour. Il prenait un arak ou deux, fumait un narghilé ou quelques petits cigares de tabac brun dont l'odeur infecte collait à ses vêtements et rentrait au domicile conjugal à heure fixe, de la meilleure humeur du monde. Parfois il emmenait sa famille au restaurant manger une chawarma ou la conduisait au cinéma. Rarement, des cousins ou des amis venaient dîner.

La perspective d'une destinée de ce genre glaçait Dora : il n'était pas possible *qu'elle, Dora,* y fût réduite... et pourtant... Comme d'habitude, après ce tour d'horizon et ces pensées déprimantes qui revenaient de plus en plus souvent, une seule issue se présentait à elle : le riche mariage.

Au début de sa vie mondaine — elle fréquentait Hélène et ses amis depuis un an environ — elle s'était imaginé que rien ne serait plus facile. Chaque fois qu'elle sortait, débordante d'allégresse, c'était avec la certitude de rencontrer le jeune homme rêvé. Les mois et les déceptions se succédant, cette certitude avait fait place au doute. Et maintenant...

— Alors tu rêves, Dora ?

Les convives avaient quitté la table et elle ne s'en était même pas aperçue. L'air moqueur, déjà habillée pour sortir, Hélène se tenait devant elle. Dora s'efforça de sourire :

— Probablement, dit-elle en se levant.

Hélène s'empressa de rejoindre le Prince, qui l'attendait près de la porte. Les autres

avaient déjà disparu, aspirés par la nuit
froide du désert et lorsqu'elle eut mis son
manteau, Dora se rendit compte qu'elle était
seule dans le hall de l'hôtel avec l'Américain
faiseur de thèse.

— Voilà, dit Martha au Consul, je vous ai
tout raconté. Qu'en pensez-vous ?
— Je vous avoue que je suis perplexe...
Rien ne s'oppose à ce que votre amie Vera ait
raison... Maintenant, vous m'avez dit qu'elle
était très... imaginative et ces événements ont
eu lieu lorsqu'elle était encore enfant : sa
mémoire a pu déformer les faits ou lui faire
prendre le Prince pour un homme qui lui ressemblait... les traits d'un visage se modifient
en l'espace de six ou sept ans et l'on peut
accentuer artificiellement cette modification...
Le hâle du Prince est-il naturel ou dû à l'usage
d'une lampe ou d'une lotion ? La couleur de
ses cheveux est-elle bien la sienne? Nous ne
connaissons du Prince que l'aspect qu'il nous
montre.
— Evidemment... La seule preuve de son
identité serait la cicatrice sur son poignet.
— Il faudrait lui lire les lignes de la main!
— Je ne lis que dans les cartes malheureusement... Avez-vous l'impression qu'Hélène
soit éprise de lui ?
— Je crois plutôt que son attitude l'intrigue... et l'agace un peu. Elle doit être habituée

à plus d'empressement de la part des hommes. Croyez-vous qu'elle ait des aventures ?

Martha haussa les épaules :

— On ne sait rien de précis... Mais je le pense : après tout, elle n'a rien d'autre à faire.

— Ne songerait-elle pas à se remarier ? Le Prince lui paraît peut-être un excellent parti... La perspective de devenir princesse ne devrait pas lui déplaire !

— Certes non ! Cela ferait enrager toutes ses amies, raison bien suffisante. Et au fond, Hélène n'est pas très intelligente : l'idée de se méfier d'un inconnu, fût-il Prince, ne lui viendrait pas.

— Hélène est aussi très riche... Quel parti intéressant, quelle occasion inespérée pour un aventurier dénué de ressources...

— Il mène grand train...

— Pour l'instant... Mais il pourrait disparaître du jour au lendemain sans payer hôtel, voiture et les costumes qu'il s'est commandés !

— Vous n'êtes pas très optimiste ! dit Martha en riant. S'il se doutait...

— Peut-être se doute-t-il, dit songeusement le Consul. En tout cas, je peux vous affirmer que cet homme est constamment sur ses gardes...

Après une promenade qui les avait conduits

devant l'arc monumental, le groupe réduit à un quatuor composé d'Hélène, du Prince, d'Elie et de Stella, se dirigea vers le temple de Bel tandis que Pierre et Ann s'écartaient pour visiter le théâtre.

— Nous le verrons seuls et à la nuit tombée, dit Pierre, à l'heure où devaient commencer les représentations du temps d'Odeinat et de Zénobie, dans toute leur gloire après leur triomphe sur Sapor. Imagine la lueur des torches qui éclairaient la scène et les gradins occupés par de belles Palmyréniennes chargées de bijoux : de loin, accroupies autour d'un maigre feu, les tribus nomades apercevaient cet embrasement et s'émerveillaient de la splendeur de Palmyre... Peut-être aussi la jalousaient-elles...

— Quelle imagination, dit Ann en riant. Tu devrais écrire des romans !

— Je donnerais dix ans de ma vie pour être transporté, disons dix-sept siècles en arrière... Contempler la ville intacte ; participer, l'espace de quelques heures à la vie des habitants au faîte de leur prospérité, quel spectacle !

Pierre avait cessé d'appartenir au temps présent : une sorte de dédoublement lui permettait de se mouvoir sur les gradins du théâtre. Ann continuait à entendre sa voix mais, perdu dans les siècles, il était aussi loin d'elle que s'il se fût trouvé de l'autre côté de la terre.

— Sans doute, dit Ann rêveuse en s'asseyant sur la pierre qui gardait un peu de la chaleur du jour.

— Regarde, dit-il en désignant l'horizon d'un geste circulaire, toutes ces caravanes qui traversent les déserts pour apporter à Palmyre les marchandises les plus rares et les plus précieuses : la laine teinte en pourpre de Tyr, les huiles aromatiques d'Arabie heureuse et d'Ethiopie, les vins capiteux des coteaux du Liban, l'indigo et le tussor indiens, les lapis lazulis et les turquoises, les fourrures du Turkestan...

— Tu me fais rêver...

Un instant distrait par l'évocation de ces trésors anciens, l'esprit d'Ann sombra bientôt dans le gouffre habituel. Les rubis de Ceylan, les saphirs de Birmanie, qu'importaient ces cailloux glacés et morts à côté de la tiédeur de deux corps glissant l'un contre l'autre... Geoffrey... où était-il, que faisait-il au début de cette nuit d'été ? Des images défilèrent, Geoffrey étendu sur une plage, Geoffrey entrant dans l'eau, Geoffrey s'éloignant du bord d'un crawl rapide, Geoffrey au volant de sa voiture décapotable rouge, accompagné d'une femme ravissante, Geoffrey entraînant sur une piste de danse la même femme ou une autre, Geoffrey...

Ces images ou d'autres semblables revenaient sans cesse : n'allaient-elles pas, à la longue, perdre de leur force, de leur pouvoir destructeur ? Après leur évocation, Ann se sentait écrasée, réduite à l'état de gelée, comme si plus rien de solide ne subsistait en elle. La présence de Pierre l'aidait souvent à interrompre le déroulement de ce film intérieur... Mais ce soir, quel secours attendre de lui ? Elle était absolument seule avec une ombre dans les ruines du théâtre de Palmyre.

Vers onze heures, la promenade achevée, Elie prit congé de Stella qu'il avait accompagnée jusqu'à sa chambre.

— La mienne est en face, si vous avez besoin de quelque chose... Je vais m'absenter une heure maintenant pour aller à la découverte de ce qui intéresse votre père... Je ne vous cacherai pas que j'ai peu d'espoir...

— Il vous demande l'impossible, s'écria Stella. Je le sais bien. Mais cette tête d'Aglibôl a une telle importance pour lui !

Elie hésita un instant :

— Serait-il indiscret de vous demander pourquoi ?

— Non, dit Stella, je ne pense pas... Mon père lit beaucoup de livres et de revues traitant d'archéologie. Vous savez que c'est la passion de son existence... Il y a quelques années, dans un ouvrage sur Palmyre, il a vu une reproduction d'Aglibôl. Celle-ci ne l'avait pas autrement frappé mais la nuit suivante il fit un rêve : quelqu'un lui tendait la tête d'Aglibôl et il s'apercevait que celle-ci était douée d'un pouvoir magique. Tant qu'elle demeurait en sa possession rien de mauvais ne pouvait l'atteindre : ni maladie, ni chagrin, ni ennuis d'argent... Petit à petit, l'idée s'est ancrée en lui : il fallait à tout prix qu'il se procure cette statue... Maintenant, il a l'impression que sa vie en dépend. Ma mère est assez souffrante et mon père croit qu'Aglibôl parviendrait à la guérir... Vous ne trouvez pas cela un peu ridicule ?

— Non, dit Elie, après tout, il revient à la religion de l'Antiquité qui attribuait tous les pouvoirs à ceux qui se rendaient les dieux propices... Il est étrange cependant que son choix se soit fixé sur Aglibôl : ce n'est pas un dieu guérisseur, mais celui de la fécondité et de la fertilité...

— Mon père n'a jamais eu d'enfant : il m'a adoptée. Je suis la fille d'un premier mariage de ma mère. Il en a certainement beaucoup souffert.

— Je commence à comprendre, dit Elie. Enfin, j'ai rendez-vous avec plusieurs personnes qui prétendent avoir découvert de nouveaux tombeaux à l'extérieur de l'enceinte.

— Emmenez-moi avec vous !

— Ce soir, votre présence pourrait gêner les tractations... Demain, si vous voulez, je vous emmènerai... violer les tombes. Curieuse distraction à proposer à une jeune fille !

— Pour ne rien vous cacher, je crois que cela m'amuserait plus que d'aller danser au Casino !

— N'en dites rien à nos amis surtout, dit Elie en riant.

— Je m'en garderai bien !

— En attendant, dormez vite, je viendrai vous réveiller à quatre heures pour le lever du soleil.

Encore une fois, il ne put s'empêcher d'embrasser Stella avec tendresse : qu'en pensait-elle ? Peut-être ce geste n'avait-il aucune importance à ses yeux et le considérait-elle comme une manifestation de familiarité amicale, de gentillesse. Peut-être aussi cela lui faisait-il plaisir ?

Retourné dans sa chambre, Elie passa une veste sur son pull-over et prit le sac de cuir. Khalil l'attendait près du musée avec une voiture.

— Nous allons vers le nord-ouest, dit-il lorsque Elie fut monté. C'est une région qui commence à être prospectée.

— N'est-ce pas là que les ouvriers de l'Iraq Petroleum ont découvert une vingtaine de tombeaux ?

— Exact, confirma Khalil. En 1957. Ils creusaient pour construire un oléoduc. Mais il y a encore beaucoup de tombeaux enfouis sous le sable. J'ai dégagé l'entrée de l'un d'eux un peu à l'écart de l'endroit où travaille actuellement l'équipe.

— Vous avez trouvé ?

— Pas grand-chose... vous allez voir.

Avec une puissante torche électrique Khalil éclaira les degrés qui menaient à la porte.

— Attention à votre tête.

Elie se baissa et pénétra dans le tombeau. De petites dimensions, il était disposé en forme de croix. A droite et à gauche, des niches dans le mur.

— Il devait s'y trouver des statues, dit Elie.

— Oui, on en devine encore l'emplacement, la pierre est plus sombre... Mais elles ont disparu... Jusqu'à présent, je n'ai découvert que cela d'intéressant.

Et Khalil braqua sa torche sur un bas-relief représentant des fidèles chargés d'offrandes pour un dieu.

— Prêtez-moi un instant la lampe...

Elie s'accroupit devant le bas-relief pour tenter d'identifier le dieu. De toute manière, il ne s'agissait pas d'Aglibôl... Peut-être de Bel... Il faudrait un meilleur éclairage pour en être sûr.

— Ce tombeau conviendra, dit Elie.

Il déballa la tête d'Aglibôl et la plaça dans la niche de droite : elle ne faisait pas mauvais effet. Et même, ce tombeau si vide quelques instants auparavant semblait maintenant habité. Khalil s'approcha de la statue.

— Elle est belle, murmura-t-il en la caressant.

— Elle est fausse...

— Je sais... pourtant elle fait presque peur...

Ainsi lui aussi éprouvait cette impression...

Khalil referma soigneusement la porte et ils regagnèrent le musée.

— Attendez-moi demain à la même heure, dit Elie. Voilà mille livres. Vous aurez le reste demain soir. Je serai accompagné.

— Entendu, dit Khalil.

Vers deux heures du matin, le Consul se réveilla en sursaut. Le bruit effrayant qu'il entendait dans son rêve — celui du hurlement d'une meute de loups lancés à sa poursuite sur l'ordre d'Alexis et de Tania qui riait de le voir courir pour leur échapper — persistait maintenant qu'il était assis dans son lit, tremblant de froid. La couverture avait glissé à terre pendant son sommeil et la fenêtre grande ouverte laissait pénétrer la fraîcheur de la nuit. Il se leva et à sa surprise constata qu'un fin grillage s'étendait du haut en bas de la fenêtre : de quel danger protégeait-il ? Les mailles en étaient beaucoup plus serrées et solides que celles des treillis ordinaires destinés à éviter les insectes... Les cris, tantôt proches, tantôt se perdant dans le lointain, provoquaient une sensation de malaise, comme si le cauchemar se poursuivait. Quelle sorte d'animal pouvait hurler ainsi ? Il n'y avait pas de loups dans cette région... Soudain, il comprit : il entendait le jappement des chacals, les chiens du désert qui, l'ombre venue, osaient s'approcher des habitations. D'ailleurs, ses yeux habitués à l'obscurité distinguaient vaguement des silhouettes qui passaient sur le sable... Il frissonna et se recoucha, remontant la couverture jusqu'au menton.

Depuis son arrivée à Beyrouth, au printemps dernier, il avait presque oublié qu'on pouvait avoir froid : cela lui rappelait les hivers longs et rigoureux de son pays, contre lesquels on luttait souvent avec des moyens insuffisants. Combien de fois avait-il entendu sa mère et sa sœur, à l'époque où cette dernière vivait encore, condamnées à habiter dans un appartement dépourvu de chauffage à l'exception d'un petit poêle, se plaindre de la température ? Et l'été était trop court pour qu'on pût en profiter vraiment.

Les chacals continuaient à hurler dans le désert et ces cris déplaisants perçus dans un état de demi-somnolence provoquaient chez le Consul une vague sensation d'angoisse qui se traduisait par une crispation de tous ses membres à laquelle s'ajoutait maintenant la crainte de ne pas dormir. La nuit n'en finissait pas et il ne parvenait pas à retrouver un véritable sommeil, qui l'aurait reposé de cette journée fatigante. Celle qui l'attendait ne le serait pas moins.

LA NUIT D'AGLIBÔL

Le lever de soleil radieux qui nimbait les ruines d'or pâle incita les voyageurs à sortir malgré l'air glacé de l'aube. Comme la veille, Elie se mit à la tête de l'expédition et mena ses compagnons au Qalaat Ibn Maan, situé sur un piton rocheux. De cette forteresse arabe d'un accès difficile — la dernière partie de l'ascension se faisait à pied par un sentier escarpé — on dominait l'ensemble de la ville et la masse de la palmeraie d'un vert sombre et brillant.

— J'espère que vous ne regrettez pas cette escalade, dit Elie.

— Certes non, répondit le Prince. Il aurait été dommage de manquer ce spectacle et l'exercice nous a réchauffés.

Martha et le Consul paraissaient un peu essoufflés par la dure montée tandis que Pierre et Ann grimpaient comme des chèvres.

— Mon Dieu ! s'exclama tout à coup Hélène, nous ne sommes que huit ! Il manque quelqu'un...

On avait oublié de réveiller Dora et, jusqu'à présent, nul ne s'en était avisé... Hélène jeta au Consul un regard chargé de reproches :

— Ce n'est pas très gentil, dit-elle, comme si elle lui attribuait l'entière responsabilité de cette négligence.

— Bah ! dit le Consul avec désinvolture, elle aime tant dormir le matin...

— Et je ne crois pas que la vue de quelques ruines de plus fasse une grande différence pour elle, dit Martha en riant.

— Tout de même, dit le Prince, Hélène a raison : nous ne nous montrons pas très gentils envers elle...

— Déjà hier soir, remarqua Elie, il me semble que nous ne l'avons pas attendue pour la promenade.

— C'est vrai, dit Ann. Qu'a-t-elle bien pu faire toute seule ?

— Si elle n'était pas toujours en retard, aussi, dit Elie. On ne peut pas passer son temps à s'attendre les uns les autres. Et puis, chacun est libre d'agir à sa guise.

— Pourtant, dit Pierre, j'ai l'impression que nous avons fait énormément de bruit ce matin : nous nous sommes appelés à haute voix dans le couloir, nous avons claqué des portes...

— C'est la preuve qu'elle a le sommeil paisible, dit le Consul qui ne pouvait en dire autant.

— Mais au fait, dit Martha, qui lui a demandé de venir avec nous ?

— Nous avons parlé de ce projet devant elle, à la soirée d'Hélène... dit Ann.

— En somme, elle s'est imposée, dit Elie.

— Elle n'est guère le genre de personne à emmener dans une excursion archéologique, remarqua Pierre.

— Que connaît-elle donc sur les civilisations grecque et romaine ? demanda Martha en se tournant vers le Consul.

— Peu de choses, je le crains, dit celui-ci.

— Quoi qu'il en soit, dit Hélène tandis que l'on redescendait, nous devons aller la chercher et je propose que nous fassions tous un petit effort à son égard.

— Je partage le point de vue d'Hélène, dit le Prince. Après tout, Dora est très jeune, peut-être un peu ignorante, mais plutôt agréable.

— J'ai surtout l'impression qu'elle est malheureuse, dit Stella.

— C'est vrai, elle n'est pas à son aise, constata Hélène. Serait-elle intimidée ? Je me demande bien pourquoi ? Elle nous connaît tous...

On remonta dans les autos laissées en bas de la colline pour prendre la direction de l'hôtel Zénobie. Hélène alla réveiller Dora. La température se réchauffant, le Prince retira un pull-over. Aussitôt Martha s'approcha de lui pour constater avec dépit qu'il en conservait un second sur une chemise à manches longues. Il fallait attendre...

Avec des gestes encore maladroits de sommeil, Dora essayait de s'habiller rapidement, comme le lui avait recommandé Hélène. Celle-ci avait ajouté que tout le monde l'attendait dans le hall.

A mesure que ses idées se clarifiaient lui revenait le souvenir de ses mésaventures de la nuit dernière. Abandonnée par ses compagnons, désœuvrée, Dora avait fini par accepter une promenade avec l'universitaire américain. Il semblait aimable, n'était pas mal de sa personne, parlait suffisamment le français et sa compagnie était préférable à une humiliante solitude sous les regards narquois du personnel de l'hôtel.

D'abord, tout s'était passé très bien. Tom avait pris le bras de Dora et l'avait menée de monument en monument — Dora ignorait lesquels ; elle était incapable de les distinguer les uns des autres. Il lui avait tenu de savants discours sur l'Antiquité, mêlés d'anecdotes divertissantes sur les mœurs de l'époque. Dora trouvait Tom très sympathique et se disait qu'elle s'amusait certainement plus que si elle avait suivi les autres qui lui parlaient à peine. Au moins Tom s'occupait d'elle et ne paraissait pas la considérer à priori comme stupide et dépourvue d'intérêt.

Un peu plus tard, Tom devint plus affectueux. Il passa un bras autour de la taille de sa compagne et l'embrassa. Dora ne s'y opposa pas : il n'y avait aucune raison puisque les autres ne le sauraient pas. Et après tout, c'était plus agréable qu'avec Samir, qui bavait toujours un peu.

Tom se mit ensuite à lui tenir quantité de propos aimables sur son physique et Dora qui n'avait pas souvent l'occasion d'en entendre de semblables y prit grand plaisir. Il existait tout de même des hommes qui la remarquaient, la trouvaient jolie et prenaient la peine de le lui dire. C'était réconfortant.

Tom proposa de s'allonger sur le sable pour regarder la lune qui, à l'en croire, présentait ce soir-là un aspect exceptionnel. Dora y consentit et fut soudain renversée en arrière par son compagnon dont les mains se mirent à s'activer avec une rapidité et une brutalité surprenantes pour quelqu'un qui avait raconté de si jolies choses sur la reine Zénobie.

Dora voulut le repousser et comme il la serrait de plus en plus, elle se débattit de toutes ses forces. Loin de calmer Tom, cette résistance lui insuffla une nouvelle vigueur. Dora se mit à le mordre et à le griffer avec acharnement et cette tactique énergique lui permit enfin de s'échapper. Néanmoins, ses vêtements avaient été déchirés de telle façon qu'elle serait bien en peine, de retour à Beyrouth, d'expliquer à sa mère la raison de ces dommages.

Elle courut quelque temps sans se préoccuper de la direction tant elle craignait d'être poursuivie. Dans sa précipitation, elle ne vit pas un gros bloc à moitié dissimulé dans le sable : elle tomba, s'écorcha les mains à l'arête vive de la pierre et se heurta le coude. La douleur très vive lui arracha des larmes silencieuses. Elle s'assit sur un chapiteau pour masser son coude percé de mille aiguilles de feu. La souffrance s'atténua mais pas le sentiment de l'ignominie du traitement qu'elle avait subi. La pensée de la marque de ses dents profondément incrustées dans le gras du bras de l'agresseur la consola un peu. Après avoir longtemps erré, elle regagna l'hôtel, humiliée : elle venait d'avoir une nouvelle preuve du peu d'estime qu'on lui portait.

Cela s'ajoutait à toutes les vexations endurées ces derniers temps. Fallait-il admettre qu'elle faisait fausse route en prétendant mener une vie à laquelle rien ne la destinait ? Si un rustaud du genre de cet Américain se comportait ainsi à son égard, comment espérer qu'un homme appartenant au groupe d'Hélène et de ses amis pût souhaiter l'épouser ? N'avait-elle pas constaté à maintes reprises que ces hommes ne s'unissaient qu'à des filles riches, pourvues d'alliances dans le monde politique ou dans celui des affaires ? Evidemment, si elle avait eu un oncle député ou ministre... Quelle folie d'avoir supposé une seconde que le Prince tournerait les yeux vers elle...

Et ce matin, à la perspective d'affronter le groupe dans une position d'infériorité manifeste à cause de son retard, elle se sentait

presque angoissée : la veille déjà, on ne lui
avait témoigné qu'indifférence et dédain, aujourd'hui ce serait bien pis puisqu'elle avait
attiré l'attention sur elle d'une manière si
maladroite.

Elle s'avança dans le hall :

— Ah ! vous voilà tout de même ! dit Elie.
Nous pensions qu'aucune sollicitation ne parviendrait à vous arracher au sommeil !

— Je suis désolée, murmura Dora d'un air
confus.

— Prenez tout de même votre petit déjeuner, dit le Prince avec un sourire. Nous ne
sommes pas à une minute près.

Dora remarqua l'absence d'Ann et de Pierre.

Ils s'étaient éclipsés pour aller se baigner
dans la grotte d'Efca où coulait une source
d'eau sulfureuse dont la température attei-
gnait 28°.

— Quelle bonne idée, dit Ann. Je suis sûre
que les autres ne soupçonnent pas l'existence
de cette « piscine ».

— Elie doit bien la connaître... Mais aucun
d'eux ne pensera à se baigner.

— Nous nous sommes montrés atroces hier
et ce matin avec la pauvre Dora, dit Ann en
riant. Elle ne conservera pas un bon souvenir
de Palmyre !

— Mais pourquoi donc est-elle venue ?

— Pour suivre le Prince...

— Sans doute, dit Pierre. Je me demande bien ce que toutes les femmes lui trouvent.

— Moi, je ne lui trouve rien, dit Ann. Il ne m'intéresse absolument pas.

— Parce que tu es incapable de t'intéresser à quelqu'un pour l'instant.

Ann sourit :

— Pas même à toi ?

— Si peu...

— Je ne suis pas amoureuse de toi bien sûr... Tu ne l'es pas non plus de moi...

— C'est vrai, reconnut Pierre.

— Tu vois...

Une violente odeur de soufre assaillait les narines lorsqu'on pénétrait dans la grotte.

— Efca était une source sacrée autrefois, dit Pierre.

— A quelle époque ?

— Vers le IIe siècle. On y vénérait le dieu solaire Yarhibôl sur les exploits duquel Elie saurait se montrer intarissable.

— Dans une grotte obscure ?

— La moitié du bain, si j'ose m'exprimer ainsi, se trouve à l'air libre.

— L'odeur est épouvantable ! dit Ann en faisant la grimace.

— On s'y habitue très vite : dans deux minutes, tu n'y feras même plus attention.

Se plonger dans cette eau chaude procurait une sensation délicieuse, presque voluptueuse de détente, après la nuit trop courte et les efforts qui l'avaient suivie. Ann se laissait

flotter, ne pensait plus à rien, sinon au bien-
être qui l'envahissait.

— Le soufre est excellent pour la santé, dit
Pierre. Après le bain, tu te sentiras reposée,
pleine d'énergie.

— Tant mieux, dit Ann, ces heures de marche dans les ruines m'ont épuisée.

Le soleil inondait la palmeraie d'une lumière crue qui éblouissait. Les lainages
avaient disparu, remplacés par des chemisettes en coton et des pantalons de toile.

— Qui a envie de dattes ? demanda Elie.

— Tout le monde, dit Hélène. Achetons-en
un régime.

Ces fruits appétissants et dorés évoquaient
une autre oasis, celle de Tozeur où elle avait
goûté aux dattes fraîchement cueillies, pas
tout à fait mûres. Et Jean... Pilotait-il toujours les étrangers en Tunisie ? Si un jour,
par caprice, elle cherchait à le retrouver, y
parviendrait-elle ? Elle ne connaissait que son
prénom... Au fond de sa mémoire devait être
inscrit le nom de la société de transports qui
l'employait : elle était certaine de l'avoir
entendu... Ces indications suffiraient-elles ?

Soudain, elle fut lassée de ses compagnons :
ceux-ci exigeaient une représentation constante, demeuraient sans cesse aux aguets pour
surprendre les faiblesses de chacun... Si Jean
était là...

Ils avaient pénétré dans un jardin. Grimpé au sommet du palmier-dattier, le propriétaire détachait un régime. Cet enclos bien entretenu, verdoyant, faisait penser au paradis terrestre : comment imaginer le début du désert à quelques mètres...

— Tiens, il y a de nouvelles disparitions, remarqua Martha. Pierre et Ann...

— Cette fois-ci, c'est moins grave, dit le Consul. Savez-vous que Dora ne m'adresse plus la parole ?

Martha observa la jeune fille qui s'entretenait avec Hélène et le Prince un peu plus loin.

— Je crois que le Prince, pris de remords pour une action qu'il n'a pas commise, car après tout ce n'est pas son rôle de faire le compte des uns et des autres, mais celui d'Elie, a décidé de se montrer très aimable avec Dora pour la consoler de notre oubli.

— De nos oublis... Je suis sûr que cette thérapeutique donnera d'excellents résultats, dit le Consul en souriant. Cette charmante enfant va être folle de joie et supposer...

— On dirait que vous ne pouvez plus la supporter, dit Martha.

— L'endurance à écouter des sottises a une limite... Disons aussi qu'une autre compagnie me plaît davantage...

— Laquelle ? demanda Martha avec intérêt. Je n'ai rien observé...

— La vôtre.

Martha éclata de rire :

— Vous me découvrez !

— Peut-être, dit le Consul. A Beyrouth, on échange quelques phrases, on se salue dans les coktails... En voyage il est plus facile de connaître les gens... Je peux vous avouer que vous m'étiez plutôt antipathique...

— Et pourquoi donc ? Je ne vous avais jamais rien dit de désagréable !

— C'est vrai...

— Confidence pour confidence, reprit Martha, je me méfiais de vous.

— De moi ? s'exclama le Consul avec surprise.

Lui qui se méfiait de chacun...

— Vous avez toujours des airs mystérieux...

— Cela vous va bien de dire cela ! A propos, avez-vous pu voir quelque chose ?

— Pas encore...

Le propriétaire avait apporté un panier de grenades. Le Prince choisit un fruit bien mûr et le tendit à Dora qui rougit de plaisir. Contrairement à ses craintes, on avait manifesté à son égard une gentillesse inhabituelle. Elle ne savait à quoi attribuer ce brusque revirement : délaissée par tous hier soir encore, elle se voyait à présent le centre de l'attention générale... Hélène s'était montrée d'une affabilité extraordinaire, Elie avait pris la peine de lui expliquer le rôle de Zénobie dans l'histoire de Palmyre et le Prince lui avait parlé à diverses reprises de l'air le plus aimable. Etait-ce son empressement qui modifiait le comportement des autres ?

Ayant épuisé les délices de la palmeraie, la petite troupe se dirigea vers la vallée des tombeaux.

— C'est ici que vous m'emmènerez ce soir ? demanda Stella à Elie tandis qu'ils parvenaient à la Tour de Jamblique.

Elie sourit :

— Non... Dans ce site se trouvent surtout des tours funéraires dont certaines comme celle-ci et celle d'Elahbel que vous allez visiter tout à l'heure, comptent quatre ou cinq étages... Fort visibles, elles ont toutes été... prospectées. Cette nuit, nous irons dans des hypogées : on continue à en découvrir fréquemment.

Stella parut enchantée à cette perspective.

— Cela vous amuse ?

— Beaucoup, avoua-t-elle.

— Nous ne trouverons pas des trésors...

— Qui sait ?

Elie aurait été parfaitement heureux si la pensée d'abuser Hunter n'était venue gâcher le plaisir de plus en plus vif que lui procurait la compagnie de sa fille.

— Quand nous serons de retour à Beyrouth, je vous emmènerai visiter Tyr et les citernes du roi Salomon.

— J'en serai ravie, dit Stella. J'aime me promener avec vous...

— Vraiment ?

Elle le regarda un instant d'un air à la fois grave et tendre.

— En doutez-vous ?

N'était-il pas absurde de s'attacher à cette jeune fille, une étrangère de passage au Liban... Dans une semaine, une quinzaine au plus tard, elle regagnerait son pays et, à l'exception d'une carte postale de temps en temps, il n'entendrait plus jamais parler d'elle... Il fallait chasser ces tristes pensées, profiter des heures dorées qui s'écoulaient. Après, eh bien, il oublierait Stella. Il avait passé l'âge des passions.

— Vous êtes songeur...

— Quand vous serez partie... dit-il.

— Vous avez l'esprit chagrin : je viens d'arriver...

— Je suis stupide en effet...

L'expression soudain mélancolique de Stella démentit ses paroles enjouées et Elie fut envahi par un amer plaisir en constatant que l'évocation de leur séparation l'assombrissait...

— Que de fêtes nous manquons en ce moment, soupira comiquement Hélène en s'adressant au Prince et au Consul : un déjeuner à Aley chez les Alexios...

— Ce soir, le coktail de la Croix-Rouge au Phénicia, ajouta le Consul.

— Et un dîner à la Légation de Finlande, compléta le Prince.

— Les courtes absences ont l'avantage de vous faire regretter, dit le Consul. On s'en demandera la cause...

— Peu de gens sont au courant de notre sort... On va me soupçonner de vous avoir enlevé, dit Hélène en se tournant vers le Prince.

— Le contraire ne serait-il pas plus logique ?

— De nos jours il est difficile de le dire...

En fait, il lui était impossible d'imaginer un rapt de la part du Prince : elle le jugeait beaucoup trop convenable et dépourvu d'enthousiasme pour se livrer à des excès de cet ordre...

Par moments, elle avait l'impression qu'il n'existait pas, qu'une apparence aimable recouvrait le néant. Si on lui demandait de décrire le Prince, que pourrait-elle en dire de précis ? Presque rien... En tout cas rien qui permit de l'identifier : à croire qu'aucun trait marquant ne le distinguait, qu'il ne possédait ni qualité, ni défaut... N'était-ce pas étrange ? Un peu inquiétant ? Ou décevant... Que lui avait apporté la fréquentation du Prince depuis un mois ? Rien... Elle aurait pu ne pas le rencontrer, c'eût été pareil...

— Il est l'heure de rentrer pour le déjeuner, dit Elie. Après, vous aurez droit à une sieste... même Dora.

Celle-ci s'efforça de sourire : les autres, pour une raison quelconque, essayaient de se montrer gentils avec elle. Mais cette gentillesse était de commande, dépourvue de toute spontanéité... Même le Consul avait cessé de se moquer d'elle : dans un sens, elle le regrettait presque...

Ann et Pierre, reposés, le teint frais, attendaient dans le hall de l'hôtel.

— Vous êtes des lâcheurs, dit Martha.

— Des sportifs, plutôt ; nous nous sommes baignés dans la grotte d'Efca.

A table, Martha s'assit à côté du Prince. Bien qu'il eût roulé les manches de sa chemise, elle ne voyait que le dessus de son poignet recouvert d'un léger duvet. Elle pria son voisin de lui servir à boire. Il saisit la lourde carafe et pendant qu'il versait l'eau, en travers des veines bleuâtres gonflées par l'effort, Martha aperçut deux cicatrices blanches, absolument identiques...

De nouveau, l'ombre des colonnes s'allongeait sur le sable, chaud et doré pour quelques instants encore. Pourtant, assis sur une pierre, le Consul frissonnait en regardant le soleil couchant : la nuit qui s'annonçait déjà, serait-elle comme la précédente, peuplée de ces visions effrayantes où les remords du passé se mêlaient aux craintes pour l'avenir dans un demi-sommeil aux images démesurées, aux sons déformés ?... Le jappement insupportable et lancinant des chacals évoquait, sans la moindre raison, sinon par l'angoisse qu'il provoquait en lui, le tintement inexorable du glas, celui d'une petite église de campagne, à côté de laquelle, enfant, il passait des vacances. Parmi bien d'autres

choses, cet appel avait disparu, interdit par
l'ordre nouveau. Mais, enfoui dans sa mémoire, le souvenir en demeurait intact et il lui
suffisait de fermer les yeux pour entendre
résonner les quatre notes monotones qui an-
nonçaient la mort.

Quelle absurdité d'écouter sonner le glas
dans le désert, parmi les vestiges d'une civili-
sation païenne, dans cet air calme et doux,
qui aurait dû lui apporter la sérénité... N'était-
ce pas l'indice d'un esprit dérangé, affaibli,
aux circuits délabrés par l'usure d'un combat
perdu d'avance contre des fantômes bien vivants, à des milliers de kilomètres. Condamné,
par le caprice de l'un ou de l'autre, Alexis
pouvait être gracié un jour... ou disparaître
définitivement sans que le Consul en fût
jamais informé... Peut-être, en ce moment
même, se torturait-il en vain à la pensée de
la vengeance possible d'un homme réduit à
l'état de cadavre. Comment savoir ? N'aurait-il
pas dû sentir la mort d'Alexis, par tous les
pores de sa peau, par toutes les fibres de son
âme ? Il lui semblait qu'en ce cas, il aurait
éprouvé une sensation de libération profonde,
de légèreté. Non, tournant dans sa cellule, les
jours succédant aux nuits, semblables, inter-
minables, Alexis poursuivait de sa malédic-
tion l'ami qui l'avait trahi pour se sauver...

Etendue sur son lit, tenant une cigarette de

ses doigts jaunis par la nicotine, Martha se reposait en songeant au Prince : voir deux cicatrices au lieu d'une — s'attendait-elle même à en trouver une ? — l'avait stupéfaite au point qu'elle avait tu sur l'instant cette découverte au Consul. Elle l'avait seulement prié de passer dans sa chambre avant le dîner. Sans doute devait-il frémir d'impatience... Et Vera ? Quelle serait sa réaction en apprenant l'existence de deux marques, chacune semblable à celle qu'elle avait décrite... Vera... A mesure que les heures s'écoulaient, que l'instant du retour approchait, Martha se sentait de plus en plus inquiète au sujet de cette fille un peu folle, animal léger et parfois incompréhensible, être mystérieux et séduisant qui partageait sa vie depuis plusieurs mois.

A diverses reprises, après des scènes, Vera avait menacé de se jeter par la fenêtre ou de s'ouvrir les veines... Martha n'avait pas pris ces avertissements au sérieux et s'était contentée de hausser les épaules en traitant la jeune fille d'idiote... Mais cela se passait avant l'insolation, la rencontre du Prince et l'incantation à l'astre nocturne qui avait tant effrayé Martha. Et maintenant...

Le Consul frappa discrètement et entra. De grosses gouttes de sueur naissaient à la racine de ses cheveux noirs, qui se raréfiaient sur les tempes et le sommet du crâne. Il semblait épuisé, sur le point de s'écrouler.

— Asseyez-vous, dit Martha en lui faisant

place sur le lit. Je crois que vous avez besoin d'un petit remontant.

— Cela se voit ? demanda naïvement le Consul en s'épongeant le front.

Martha sourit sans répondre et, après l'avoir débouché, lui tendit un élégant flacon plat, recouvert de cuir noir. Le Consul but quatre ou cinq gorgées de cognac, ce qui eut pour effet immédiat de le faire transpirer davantage. Il rendit le flacon à Martha qui se servit à son tour.

— Cela fait du bien...

Puis il se sentit obligé de fournir une explication :

— Je pensais à des choses... pénibles, désagréables, qui sont survenues au cours de mon existence... et je suis resté trop longtemps tête nue au soleil. Tout cela a peu d'importance. Racontez-moi.

— Le Prince a deux cicatrices : s'il est l'homme qui a tué le père de Vera, il aurait eu un autre accident par la suite...

— Au même endroit ? C'est bien improbable.

— Ou les deux cicatrices sont dues au même accident : dans ce cas, il n'est pas notre meurtrier.

— Y en a-t-il une qui ait l'air plus ancienne que l'autre ?

— Non... Elles sont identiques.

Le Consul réfléchit un instant en tâtant du pouce son propre poignet.

— Elles se trouvent en travers des veines ?

— Exactement.

— Et l'autre poignet ?

— Je ne l'ai pas regardé ! Vera m'a dit le poignet gauche...

— Si le Prince a des cicatrices sur le poignet droit...

— Vous pensez à une tentative de suicide ?

— Qui sait ? dit le Consul.

L'atmosphère était de plus en plus enfiévrée. Devant la foule de ses amis et connaissances massée dans la rue, vêtu d'une longue robe blanche qui ressemblait à une chemise de nuit, le marié se livrait à une danse solitaire et frénétique au son d'une musique très rythmée, pendant que son épouse se voyait confinée à la maison avec ses pareilles... et le buffet.

Après le dîner, Elie avait proposé à ses compagnons d'assister au mariage du frère de leur vendeur de dattes, projet accepté avec enthousiasme.

— La famille du marié est très aisée, remarqua Elie.

— Comment le savez-vous ? demanda Martha.

Elie désigna la grosse lampe au-dessus de la porte :

— La fortune se mesure à l'intensité de l'ampoule devant le domicile du marié : celle-ci est d'au moins deux cent cinquante watts.

— Quelle étrange coutume ! dit Hélène.

— Très amicale ! On fait profiter de sa lumière tous les amis. Vous avez pu constater que l'éclairage des rues de Palmyre était médiocre.

Un remous de la foule sépara Elie et Stella du groupe.

— Il est temps d'y aller, dit Elie avec un sourire.

Et, prenant le bras de la jeune fille, il l'entraîna rapidement dans l'ombre, hors de la vue des autres.

— Il va falloir marcher un peu, dit-il. La voiture nous attend près du musée.

— Cela ne fait rien... Et les autres ?

— Nous leur dirons que nous les avons perdus : je pense qu'ils sont capables de rentrer seuls !

— J'espère qu'ils ne vont pas encore oublier Dora ! dit Stella en riant. La pauvre fille...

— Hélène a l'œil sur elle maintenant et le Consul la surveille aussi.

— Je ne savais pas qu'il était si lié avec Martha : je l'ai vu sortir de sa chambre, tout à l'heure, dans une tenue plutôt... débraillée.

Elie sourit :

— Il est toujours débraillé : ses vêtements ne lui tiennent pas au corps... Je n'ai pas l'impression d'ailleurs que leurs liens soient de la nature que vous soupçonnez. Il me paraît

plutôt qu'il s'agit d'un intérêt commun pour
la personne de l'un d'entre nous.

— Le Prince naturellement ?

— Oui... S'ils avaient découvert quelque
chose à son sujet, cela ne m'étonnerait pas...

— N'est-il pas étrange que vous accueilliez
parmi vous depuis un mois un homme dont
vous ne savez rien ! En Amérique, ce serait
impensable...

— Je le sais, dit Elie, vous vous préoccu-
pez beaucoup du « background » des gens.
Ici... les apparences suffisent. Finalement,
cette méthode de sélection n'entraîne pas plus
de déboires que l'autre, les humains étant les
mêmes sous toutes les latitudes.

— Ce n'est pas sérieux tout de même...

— Pourquoi perdre son temps à s'enquérir
du passé de gens de passage ?

— Mon père a entendu dire que le Prince
séjournait à Beyrouth pour ses affaires.

— De quelles affaires s'agit-il ? Mystère.
Avec qui les traite-t-il ? Autre mystère...

— Vous n'êtes pas très curieux...

— Ce qui nous attend m'intéresse bien davantage.

Stella et Elie prirent place dans la voiture
de Khalil, garée à la même place que la
veille.

— Ce n'est pas très loin, dit Elie, mais nous
avons suffisamment marché aujourd'hui sur
les pistes et dans le sable !

Afin que le tombeau n'abritât pas seulement
Aglibôl, Elie avait demandé à Khalil d'y

transporter un certain nombre de débris de chapiteaux, de colonnes et même la tête d'une autre statue « empruntée » au musée pour la nuit, grâce à la complicité d'un gardien. Celle-ci ferait pendant à Aglibôl dans l'autre niche. Peut-être toutes ces précautions étaient-elles superflues ; cependant, avec la fille d'un fanatique de l'archéologie comme Hunter, il valait mieux se méfier : sans doute ce dernier exigerait-il un récit de la découverte, une description de l'état des lieux et mille autres détails.

Avant de descendre les marches, Khalil et Elie s'assurèrent que les environs étaient déserts.

— Parfois des gens se promènent ou recherchent des choses, dit Khalil.

La lune se cacha derrière un long nuage et Khalil alluma la torche. Elie aida Stella à pénétrer dans le tombeau.

— Si nous rentrions ? dit Hélène à Martha.

— Volontiers, dit celle-ci en bâillant. Je tombe de sommeil.

— Moi aussi, dit le Consul. J'ai très mal dormi la nuit dernière.

Hélène alla prévenir Ann et Pierre.

— Si vous voulez un somnifère, proposa Martha, j'en ai d'excellents. Je souffre moi-même d'insomnies...

— Nous buvons trop, dit le Consul. L'alcool nous énerve...

— Bien sûr... Mais sobres, réduits à nous-mêmes, nous sommes tristes et déprimés.

— De toute façon... dit le Consul avec mélancolie.

— Je n'arrive pas à retrouver Elie et Stella, dit Hélène.

— Et le Prince ? dit Dora.

— Cela fait un bon moment que je ne l'ai vu, dit Martha.

— Je suppose qu'Elie et Stella sont partis se promener de leur côté et qu'il n'y a pas lieu de s'en inquiéter, dit Hélène avec un sourire. Quant au Prince, peut-être les accompagne-t-il... De toute manière, il ne sera pas en peine de regagner l'hôtel, nous n'en sommes pas à plus de cinq cents mètres.

— D'habitude le Prince ne nous quitte pas, fit observer Martha.

— Il s'est plaint d'une migraine tout à l'heure, dit Hélène. Il est possible qu'il ait simplement été se coucher.

— A quelle heure repartons-nous demain ? questionna Ann.

— Assez tôt : le Consul a un rendez-vous en fin de matinée et Pierre doit aller à son bureau, dit Hélène.

— Il va encore falloir se lever à cinq heures du matin, soupira Dora.

— Rien ne vous empêchera de dormir tout l'après-midi, dit le Consul.

Le soir, Dora dînait chez son amie Elvire, qui attendait la relation de son voyage. Elle se moquerait bien d'elle si Dora lui faisait

un récit fidèle des événements. Elle tairait
donc la mésaventure avec Tom ou bien... elle
l'arrangerait. Elle pourrait vanter sans mentir
l'affabilité témoignée par le Prince : depuis
le déjeuner, il s'était montré des plus aimables... A l'intention de Samir et de Michelle,
elle mettrait au point une version tout aussi
flatteuse, quoique différente... Quant à ses
vêtements lacérés, elle expliquerait à sa mère
qu'elle était tombée dans un ravin rempli de
ronces : l'énorme bleu qui ornait son coude
en témoignerait.

Elie avait pris la torche des mains de
Khalil et dirigeait le rayon lumineux au ras
du sol pour éviter à Stella de se heurter aux
blocs de pierre.

— Si quelqu'un nous surprenait... chuchota-t-elle.

— Rassurez-vous : Khalil fait le guet.

Il entraîna son amie au fond du tombeau
et lui montra chaque détail du bas-relief et les
personnages aux bras chargés d'offrandes. Il
ne fallait pas découvrir la statue tout de suite.
D'ailleurs Khalil avait placé devant la niche
un morceau de colonne qui la dissimulait à
moitié.

— Je ne reconnais pas Aglibôl, dit Stella
déçue. J'ai son image présente à la mémoire :
mon père m'en a montré tant de fois la reproduction et les agrandissements qu'il en avait
fait faire...

— Je vous ai dit que j'avais peu d'espoir, dit Elie.

Il progressait lentement vers la première statue, remuant chaque débris portant des traces d'inscriptions. Il trouva même une monnaie d'argent, représentant Aurélien, qu'il avait pris soin d'apporter.

— C'est merveilleux ! s'exclama Stella.

— Vous la garderez en souvenir : mais ne la montrez pas aux autres !

— Plus tard, je la ferai monter en pendentif.

Ils parvenaient maintenant devant la première niche et la petite tête de calcaire se détacha de l'ombre.

— Enfin voilà quelque chose d'intéressant, dit Elie en s'approchant. Venez voir.

Stella manifesta bruyamment sa joie. Entendant leurs exclamations de triomphe, Khalil rentra dans le tombeau et feignit de s'émerveiller de la découverte.

— Est-elle très ancienne ? demanda Stella. Qui représente-t-elle ?

— Comme vous êtes impatiente ! Attendez un peu !

Il saisit la statue avec précaution :

— Pouvez-vous tenir la torche ? demanda-t-il à Khalil.

Le sculpteur avait su insuffler l'apparence de la vie au visage de cet homme dans la force de l'âge, aux traits puissamment modelés, à la mâchoire volontaire.

— Est-ce le propriétaire du tombeau ? Un

riche marchand ? Un notable ? Nous ne le saurons jamais, dit Elie.

Il reposa l'inconnu : il ne voulait pas prendre le risque de laisser choir la propriété du musée !

— Cette niche doit avoir son pendant, dit-il. Allons voir.

Ce fut au tour de Stella d'éclairer Khalil et Elie pendant qu'ils déplaçaient péniblement la colonne en la roulant sur sa base.

— Dieu qu'elle est lourde ! grommela Elie.

— C'est Aglibôl ! s'écria Stella la première, il n'y a pas de doute !

Elle sautait de joie.

— Il me semble en effet... murmura Elie.

— J'en suis sûre ! Comme mon père va être heureux !

Elie jugea l'expression du dieu encore plus inquiétante que la veille. Il jeta un coup d'œil à Khalil et s'aperçut que ce dernier était frappé de stupeur comme s'il ne s'était pas attendu à contempler la statue.

— Nous pouvons... la prendre ? demanda timidement Stella.

Elie s'efforça de sourire, bien qu'il se sentît tout à coup affreusement mal à l'aise et sans raison : tout ne s'était-il pas déroulé selon ses prévisions ?

— Moyennant un arrangement financier, je le suppose, dit-il.

— Payez n'importe quelle somme, dit Stella à mi-voix, mon père vous la remboursera au centuple.

Un léger bruit, un frôlement, parvint de l'extérieur. Elie s'immobilisa et posa la main sur le bras de Khalil. A son tour, celui-ci prêta l'oreille et se dirigea silencieusement vers l'entrée du tombeau.

— Eteignez, chuchota Elie.

Des pas prudents se posaient sur les marches, avec un long intervalle entre chacun d'eux. Khalil s'élança. Un cri sourd succéda à un bruit de chute. Elie et Stella se précipitèrent pour voir un homme effondré sur l'escalier.

— Que s'est-il passé ? questionna Elie haletant.

— Il a pris peur en m'apercevant et il a glissé, expliqua Khalil en tremblant de tous ses membres.

— Il est blessé : sa tête a dû heurter l'arête d'une marche.

— Il est évanoui, dit Stella en se penchant sur l'homme.

— Eclairez-le.

— J'ai laissé la torche à l'intérieur.

Pendant qu'elle retournait la chercher à l'aide d'une boîte d'allumettes, Elie posa sa main sur le cœur de l'homme.

— Il est mort, chuchota-t-il à Khalil.

— Qu'allons-nous faire ? dit celui-ci consterné. C'est la vengeance d'Aglibôl...

Stella revenait et le visage du Prince jaillit en pleine lumière.

LA FÊTE

Tout Beyrouth se pressait à la réception qu'offrait Georges d'Alvarez dans sa demeure de l'avenue Clemenceau — la saison n'étant plus aux réunions sur la plage — en l'honneur du nouvel Ambassadeur. Son prédécesseur avait été « admis à faire valoir ses droits à la retraite » et avait regagné son pays après d'innombrables dîners et cocktails d'adieux, profitant une dernière fois des conseils d'Elie Maran et... de *la valise*.

Hélène Sawili, qui étrennait un nouveau manteau de vison gris, le déposa à regret au vestiaire, constatant cependant que plusieurs personnes arrivées en même temps qu'elle, l'avaient remarqué.

— Cher Georges, dit-elle, je ne vous ai pas vu depuis des semaines...

— J'étais à Paris où j'ai fait un séjour délicieux.

Martha venait d'entrer, vêtue de manière plus excentrique encore qu'à l'ordinaire.

— Eh ! bien, dit Hélène à mi-voix, elle ne change pas !

— Si ce n'est qu'elle boit davantage, dit Georges. Avant-hier, en sortant d'un dîner j'ai cru qu'elle allait tomber dans l'escalier. Regardez comme son visage commence à se marquer...

— Et elle est très jeune, dit Hélène.

Martha arrivait vers eux, tenant une coupe de champagne déjà à demi vide.

— Que pensez-vous du nouvel Ambassadeur ? demanda Georges.

— Il est moins ennuyeux que l'autre, répondit-elle.

— Il a plus d'allure aussi, dit Hélène qui l'observait parlant au Conseiller Parott, le père d'Ann.

Un serveur passa un plateau de boissons. Martha déposa sa coupe et en reprit une autre. Elle ne supportait plus ce genre de réunions à moins de boire une grande quantité d'alcool : bien que la vie mondaine lui fît horreur depuis l'accident, survenu deux mois auparavant, elle continuait à sortir presque tous les soirs.

Pendant le retour de Palmyre elle avait eu l'esprit agité de pressentiments que l'inexplicable mort du Prince n'avait fait que renforcer. Lorsqu'elle rentra chez elle, Vera n'était pas dans l'appartement. A l'heure du déjeuner elle ne parut pas : peut-être, songea Martha, était-elle allée se baigner.

Vers cinq heures, Martha se résolut à ouvrir

les placards de la jeune fille : rien ne manquait. Un peu rassurée, elle alla sur la terrasse et découvrit dans un coin le cadavre du chat. L'animal était froid, il gisait là sans doute depuis le matin. La mort du chat était-elle cause de la disparition de Vera ? Martha partit à la recherche de son amie qui se rendait parfois au *Horse Shoe* et dans d'autres lieux de ce genre. Nulle part on ne l'avait vue...

De plus en plus inquiète, elle reprit la voiture et, en passant devant la Grotte aux pigeons, vit un attroupement. Elle se mêla à la foule, apprit qu'on repêchait un noyé et allait se retirer quand on ramena le corps. Martha horrifiée reconnut la malheureuse Vera, défigurée par sa chute sur les rochers, à la petite chaîne d'or et à la médaille qu'elle lui avait offertes...

Un badaud lui expliqua que la jeune fille, qu'une ambulance emportait maintenant, s'était suicidée : plusieurs témoins l'avaient vue se jeter à l'eau...

Effondrée, Martha demeura cloîtrée chez elle plus d'une semaine, refusant de voir quiconque. A la fin elle appela le Consul : il était le seul auquel elle pourrait parler de Vera et qui comprendrait ce qu'elle éprouvait. Il montra en effet une grande compréhension et apporta à Martha tout le réconfort en son pouvoir.

Depuis, Martha errait de cocktail en dîner, incapable de prendre intérêt à quoi que ce fût, se reprochant le voyage à Palmyre, sans lequel, pensait-elle, le drame ne se serait pas produit.

— Savez-vous que Pierre Fakry quitte Beyrouth ? demanda Georges.

Hélène et Martha s'exclamèrent :

— Vous voulez dire définitivement ?

— Il semble : d'ailleurs le voilà, il vous confirmera lui-même la nouvelle.

Pierre avait l'air heureux des gens qui ont enfin pris un parti et qui sont décidés à s'y tenir.

— C'est vrai, dit-il, je pars la semaine prochaine pour le Pérou travailler dans un nouveau chantier de fouilles entreprises sur la Cordillère des Andes à plus de trois mille mètres d'altitude.

— Ce sera épuisant ! dit Hélène.

— Je m'habituerai, dit Pierre en souriant.

— Et vos occupations de Beyrouth ? s'enquit Martha, vous les abandonnez définitivement ?

— Oui et sans regret. Mon oncle est hors de lui et me considère comme fou.

— Je ne suis pas loin d'en penser autant, dit Martha. Quand avez-vous pris cette décision ?

— A Palmyre...

Il y eut un instant de gêne.

— Je n'ai jamais su, dit Georges, dans quelles circonstances exactes le Prince était mort.

— Nous ne les connaissons pas, dit Hélène.

— Le lundi matin, le Prince ne parut pas

au moment du départ, dit Pierre ; nous l'avons attendu... Quelques-uns d'entre nous sont partis à sa recherche dans la palmeraie, d'autres dans la vallée des tombeaux... Puis un certain Khalil, qui travaille aux fouilles à Palmyre, est venu nous dire qu'on venait de retrouver le cadavre d'un homme sur les marches d'une tombe. Nous y sommes allés aussitôt : c'était lui.

— De quoi était-il mort ? demanda Georges.

— Nous avons d'abord cru qu'il avait été assassiné... dit Martha.

— Quelle idée ! dit Georges.

— Mais le docteur a soutenu qu'il était mort d'une fracture du crâne en tombant sur les marches, poursuivit-elle.

— Il n'est pas exclu qu'on l'ait poussé... dit Pierre.

— Mais qui ?

— Nous ne le saurons jamais, dit Hélène. Toute cette histoire appartient désormais au passé.

— Certaines personnes doivent pourtant connaître la vérité, dit Georges.

— Il pourrait s'agir d'une vengeance, insinua Martha.

Si l'histoire de Vera était vraie, le père de la jeune fille ne devait pas avoir été la seule victime du Prince... Et si celui-ci ne demeurait presque jamais seul, était-ce l'effet de sa sociabilité ? Ou un habile moyen de se protéger d'un éventuel poursuivant ?

— Est-il vrai, demanda Georges, qu'il a laissé beaucoup de dettes ?

— On le prétend... On dit aussi qu'Interpol le recherchait...

— Enfin, dit Georges, qui était le Prince ? Vous qui étiez si liée avec lui, Hélène !

Celle-ci prit l'air vague et détaché :

— On exagère, dit-elle. Je sortais de temps en temps avec lui, c'est tout. En fait, il ne présentait pas grand intérêt...

Georges d'Alvarez sourit d'un air ironique :

— Je regretterai toujours de n'avoir pu vous accompagner à Palmyre, dit-il.

Après avoir salué l'Ambassadeur et embrassé son père, Ann Parott, escortée de Dick Closom, se dirigea vers le maître de maison.

— Vous avez invité beaucoup de monde, dit-elle.

— J'ai été absent près de deux mois : les gens ont eu le temps de m'oublier. Je leur rappelle que j'existe encore.

Pierre s'étonna de l'agitation d'Ann : elle regardait à chaque instant la porte d'entrée comme si elle attendait quelqu'un, elle alluma une cigarette qu'elle laissa tomber, refusa un whisky pour se raviser une minute après... Dick Closom l'observait avec une sollicitude inquiète, comme s'il redoutait quelque danger pour elle...

Depuis le retour de Palmyre, Pierre avait

revu Ann à diverses reprises, puis d'un commun accord, ils avaient espacé leurs rencontres tout en demeurant d'excellents amis. Pierre s'était rendu compte qu'Ann ne tenait qu'une faible place dans son existence, surtout depuis sa décision de quitter le Liban. Il sentait aussi qu'il n'était qu'un dérivatif pour la jeune fille, qui continuait d'être obsédée par son ancien et décevant amour. De plus il n'avait guère de loisirs pour s'occuper d'Ann, pris entre sa mère qui ne se résignait pas à son départ et son oncle Jawal, d'abord incrédule, puis mécontent et maintenant exaspéré à l'idée que son neveu pût préférer une vie aventureuse à une confortable situation et à un avenir brillant dans son affaire.

— Je te deshérite, hurlait-il tous les matins en arrivant au bureau. Quand bien même tu viendrais te traîner à mes pieds, je ne te reprendrais jamais !

— Mais oui, oncle Jawad, disait Pierre paisiblement, c'est entendu : n'en parlons plus.

Son calme poussait l'oncle au paroxysme de la fureur. Il devenait rouge, les yeux lui sortaient de la tête et il injuriait Pierre de toutes les manières possibles.

Celui-ci riait et répondait :

— Calmez-vous, sans quoi vous aurez une attaque !

Quand il rendait visite à sa mère, il la trouvait en larmes. Elle le suppliait de renoncer à ce projet, lui reprochait le chagrin qu'il lui causait et prétendait qu'elle ne survivrait pas à son départ... Ces entrevues étaient si pénibles que le jeune homme avait cessé de la voir.

Hélène dit tout haut ce qu'il pensait :

— Je vous trouve bien nerveuse, Ann... Que se passe-t-il ?

La jeune fille rougit et répondit précipitamment :

— Rien, absolument rien... Je suis un peu fatiguée : j'ai trop joué au tennis...

Cette explication laissa Hélène sceptique : était-ce le départ prochain de Pierre qui la troublait à ce point ?

— Elie viendra-t-il ce soir ? demanda ce dernier. Le bruit court qu'il dînait hier chez Temporel avec Stella.

— Elle est donc de retour ? dit Hélène.

— Qui est Stella ? demanda Georges. J'ai vraiment l'impression de revenir d'un séjour d'un an au Groenland.

— C'est une Américaine, dit Martha, qu'Elie avait emmenée à Palmyre.

— Depuis quand Elie s'intéresse-t-il aux jeunes Américaines ? s'exclama Georges.

— Celle-ci est jolie, charmante et très cultivée, précisa Hélène.

— Et sans doute fort riche, ajouta Martha. Tenez, les voilà.

Georges se retourna :

— Elle est en effet très agréable à regarder...

— Je me suis permis d'amener une amie de passage, dit Elie à Georges.

— Tu as bien fait... Nous parlions justement de vous, dit-il à Stella, bien que je n'aie pas le plaisir de vous connaître. Ces dames chantaient vos louanges...

— Comme c'est aimable de leur part ! dit Stella avec un léger sourire.

— Stella et moi partons pour la Cappadoce, dit Elie. Serez-vous des nôtres les uns ou les autres ? J'espère que cette fois nous rentrerons au complet !

— Vraiment, Elie ! dit Hélène.

— En ce qui me concerne, tu peux compter sur moi, dit Georges. Quand pars-tu ?

— A la fin de la semaine.

— Comme vous le savez, dit Pierre, mes projets m'entraînent plus loin...

— En effet... Et toi, Hélène ?

— Je serai ailleurs, dit-elle.

— A Paris ?

— Non... en Tunisie.

— Tiens ! Et pourquoi donc ? demanda Elie surpris. Tu y as déjà été l'année dernière.

— J'y retourne, dit Hélène avec un sourire mystérieux.

— N'insistons pas, dit Georges, pour savoir qui Hélène va rejoindre...

— Personne que vous connaissiez...

Hélène se jugeait fort peu raisonnable de partir ainsi à la recherche de Jean : peut-être ne la reconnaîtrait-il même pas... Peut-être ne parviendrait-elle même pas à le retrouver... A certains instants de lucidité, elle se disait qu'elle allait au-devant d'une déconvenue certaine : quelle folie de chercher à revivre des moments qui lui avaient laissé de merveilleux souvenirs... Pourquoi les gâcher ? Mais si elle ne tentait pas ce dernier effort pour modifier le cours de son existence, elle sentait qu'il ne lui arriverait plus rien, qu'elle se le reprocherait toute sa vie. D'ailleurs que risquait-elle ? Un voyage inutile, une déception... Ce n'était pas très grave.

Un peu plus tard, Martha rejoignit devant le buffet le Consul, si pâle et défait qu'elle ne put s'empêcher de lui en faire la remarque.

— Je ne suis pas souffrant, répondit-il tristement. C'est bien plus grave... Je suis rappelé...

— Mon Dieu ! s'exclama Martha, déjà ! Vous venez d'arriver ! Il me semble que d'ordinaire les Consuls demeurent en poste près de deux ans...

— En effet... C'est bien ce qui m'inquiète...

— Quel est le motif de ce rappel ?

Le Consul haussa les épaules :

— On n'a pas pris la peine de m'en informer.

Martha hésita un instant :

— Je ne veux pas poser des questions indiscrètes mais enfin... s'est-il passé quelque chose ?

— Je ne crois pas avoir fait d'imprudences, si c'est cela que vous voulez dire...

Il n'était plus retourné dans le bar, derrière la place des Canons. C'est à peine s'il allait rendre visite une ou deux fois par semaine à Irina...

— Alors ?

— Avec eux, comment savoir ? Je ne dors plus depuis que je sais la nouvelle.

La veille au matin, Tania avait pénétré dans son bureau avec le courrier. Bien en évidence, sur le dessus de la pile, figurait le message lui intimant l'ordre de regagner son pays dès que les affaires courantes seraient réglées et le consulat remis à son successeur, qui arrivait quelques jours plus tard... En lisant ce qui, pour lui, équivalait à un arrêt de mort, il éprouva toutes les peines du monde à ne pas perdre contenance.

— Je serai triste de quitter un pays aussi agréable, dit-il à Tania qui souriait comme de coutume.

—Votre séjour parmi nous aura été bref, remarqua-t-elle d'un air ambigu.

Etait-elle responsable de son départ ? Il savait qu'elle le surveillait : avait-elle envoyé des rapports défavorables sur son compte ? S'était-elle plainte et de quoi ? Autant de points d'interrogation... Et quel sort l'attendait là-bas ? Aucune nouvelle affectation ne lui avait été notifiée : comptait-on le garder au ministère et lui interdire désormais les postes à l'étranger ? Ou sa disgrâce était-elle plus sévère encore...

Cette incertitude pire que n'importe quel

châtiment lui faisait presque souhaiter qu'un accident y mît un terme dans le temps qu'il demeurerait encore à Beyrouth. Que pouvait-il attendre de l'avenir ? Le message ajoutait qu'on déplorait la mort d'un excellent agent au Moyen-Orient et qu'une réorganisation des services était nécessaire. Quel était cet agent et pourquoi n'était-il pas entré en contact avec le Consul, comme cela se passait ordinairement ? Etait-il possible que le Prince fût cet agent ? Ce n'était pas la première fois que cette idée un peu absurde se présentait à son esprit. Il se souvenait qu'à Palmyre même, il avait déjà envisagé cette éventualité en reconnaissant l'ouvrier venu annoncer l'accident : ce Khalil était un individu peu recommandable qui se louait au plus offrant et plusieurs pays avaient recours à ses services. Le Consul lui-même avait eu l'occasion de l'employer à son arrivée à Beyrouth. Puis le personnage lui avait paru si déplaisant qu'il avait cessé de l'utiliser. Khalil était-il responsable de la mort du Prince ?

— Et vous cher ami, dit Elie derrière lui, nous accompagnerez-vous en Cappadoce ?

Le Consul s'entendit répondre d'une voix blanche:

— Non... Je quitte Beyrouth...

— Quel dommage ! Nous vous regretterons beaucoup...

A ce ton dépourvu de chaleur, le Consul se rendit compte que son départ laissait Elie parfaitement indifférent. D'ailleurs parmi les membres de cette société brillante dont il avait partagé les plaisirs et les intrigues ces derniers mois, qui se soucierait de sa disparition ? Peut-être Martha... pendant quelque temps... Les autres l'oublieraient rapidement comme le Prince, dont personne ne parlait plus. Certains affectaient maintenant de ne l'avoir jamais connu, ceux-là mêmes qui suppliaient qu'on les invitât avec lui...

— Et vous, Martha ? demanda Elie.

Ses réticences envers la jeune femme avaient disparu : malgré ses allures excentriques, Martha s'était montrée une compagne de voyage très agréable et ponctuelle.

— Pourquoi pas ? dit Martha.

Cela ferait toujours passer deux ou trois jours... Le Consul mangeait un canapé de saumon et son air malheureux pendant qu'on formait devant lui ce projet de voyage auquel il ne participerait pas, faisait pitié. Il donnait l'impression de se savoir condamné... Tout à l'heure, après le cocktail de Georges, elle l'emmènerait dîner sur sa terrasse. Elle avait justement reçu la veille une boîte de caviar d'Iran et il y avait du champagne et de la vodka au frais.

— Ann, si j'avais su que cette nouvelle produirait sur vous un tel effet, je me serais tu, dit Dick Closom. Tout le monde remarque votre agitation et il y a cinq minutes vous avez tenu des propos incohérents à l'attaché militaire du Portugal.

— Il n'écoute rien de ce qu'on dit ! Mais comment voulez-vous que je sois calme ?

— Ayez-en l'apparence, je ne vous en demande pas plus.

— Etes-vous si soucieux de respectabilité ?

— Je ne pense qu'à votre intérêt, c'est tout. Vous ne tenez pas à dévoiler vos sentiments devant tous ces gens ?

— Non, bien sûr... Comment avez-vous appris que Geoffrey revenait ?

— Par un de mes amis qui travaille dans la même société que lui. Il n'y a là aucun mystère, dit Dick. Je vous en prie, ne regardez pas tout le temps la porte.

— Je ne peux pas m'en empêcher, dit Ann. Je suis folle d'angoisse et de bonheur à la fois.

— Ann, il vaut mieux vous préparer au pire : ainsi la déception sera moins cruelle.

— Vous voulez dire à ce qu'il ne m'aime plus ?

Dick fit un signe d'assentiment.

— C'est probable, en effet, dit-elle soudain abattue.

Que pouvait-elle attendre d'un homme qui l'avait quittée sans motif et depuis lors n'avait pas donné signe de vie ? Ann s'en voulait d'espérer au mépris de l'évidence : leurs relations n'allaient pas reprendre comme s'il ne s'était rien passé, ces longs mois de souffrance ne s'effaceraient pas par miracle à la seule apparition de Geoffrey... Dick avait raison de la mettre en garde.

— Si je m'en allais avant qu'il n'arrive ? proposa-t-elle.

— Vous devez avoir le courage d'affronter Geoffrey... et la réalité quelle qu'elle soit. Si vous ne le voyez pas aujourd'hui, vous le rencontrerez demain ou après-demain, peut-être à un moment où vous n'y serez pas préparée. Ce ne serait que partie remise.

— Evidemment, soupira-t-elle.

— Après je vous emmènerai dîner et nous boirons comme des Polonais.

— Comme des Anglais, cela suffira je pense, dit Ann en souriant. Vous êtes vraiment un ami...

Dora s'examina un bref instant dans la glace de l'entrée chez Georges d'Alvarez : pour une fois, son apparence la satisfaisait. Le collier de perles offert par la mère de son fiancé s'harmonisait très bien avec la robe commandée chez « Chantal » à l'occasion de ses fiançailles.

Mais si l'image renvoyée par le miroir la réconfortait, la présence de Samir à son côté, vêtu de son meilleur complet, ne lui procurait aucun plaisir : elle appréhendait de le présenter à Hélène, à Martha et aux autres. Quel effet produirait-il sur eux ? Petit, portant des lunettes, ayant déjà subi les premières attein-

tes de la calvitie et d'un embonpoint pré-
coce, n'ayant pas l'habitude du monde, Samir
n'avait rien d'un séducteur... Parfois, Dora
n'était pas loin de le détester... Plusieurs raisons l'avaient néanmoins décidée à ce mariage
qui enchantait sa famille. D'abord son amie
Elvire épousait le mois suivant le « veuf »
après s'être fait offrir des cadeaux magnifiques
par leur nombre et leur prix. Dora avait longuement admiré et convoité une cape de vison
et des pendentifs en émeraude... Si Elvire se
mariait, comment son amie qui passait pour
plus *lancée* pouvait-elle rester pour compte :
ce serait avouer que personne ne voulait
d'elle...

D'autre part, les parents de Dora avaient
exercé sur elle une pression constante ; fatiguée de s'entendre demander chaque matin
si elle se décidait ou si elle avait quelque
autre parti plus intéressant en vue, Dora s'était
résignée à accepter son cousin.

Il y avait encore une autre raison : le seul
homme qui lui eût vraiment plu, le Prince,
était mort... Alors, épouser Samir ou un autre,
cela ne faisait pas grande différence. N'ayant
gardé du Prince que le souvenir de son extrême
gentillesse la veille de sa mort, elle n'était pas
loin de penser maintenant qu'avec le temps
elle serait parvenue à se faire aimer de lui.
Sa disparition soudaine lui avait causé un
choc dont elle se remettait à peine et qui
l'avait livrée en état de moindre défense aux
entreprises matrimoniales de sa famille.

Le Prince... Elle en rêvait encore souvent, il ne se passait pas de jour qu'elle songeât à lui avec tristesse. Elle n'avait accordé aucun crédit aux calomnies qui avaient circulé sur son compte : il ne pouvait s'agir que de malentendus...

— Viens, Samir, dit-elle en s'élançant courageusement à travers la foule des invités.

Georges d'Alvarez accueillit aimablement Samir et le présenta à quelques personnes. Dora remarqua avec agacement que son fiancé souriait d'un air niais en saluant et ne prononçait pas un mot.

— Fais quelques frais, je t'en prie, demanda-t-elle à voix basse.

— Je ne connais pas ces gens, répondit Samir, maussade. Ce sont tes amis, pas les miens.

Dora s'approcha du buffet et incita Samir à boire du whisky : peut-être cela le rendrait-il plus sociable... Elle reçut les félicitations de Martha et du Consul, qui semblaient toujours dans les meilleurs termes.

— Et quand a lieu le mariage ? demanda Martha.

— Au mois de février...

Le Consul paraissait absent : à peine jeta-t-il un coup d'œil à Samir. Dora en fut dépitée. A vrai dire, depuis le retour de Palmyre, elle ne l'avait plus beaucoup vu...

Une ravissante jeune femme brune, vêtue d'une robe vert émeraude, s'approcha du buffet suivie de Georges d'Alvarez.

— Je voudrais que vous connaissiez mon amie Nadia, dit-il. Elle arrive du Brésil et va demeurer un mois parmi nous.

Martha aussitôt s'empressa auprès d'elle, lui tenant mille propos aimables.

Hélène vint rejoindre Elie et Stella assis dans un grand canapé.

— Tu as vu ta grande amie, dit-elle en souriant à Elie.

— Qui ?

— La charmante Dora Rawad, voyons !

— Ah ! Cette créature ! dit Elie. Je l'ai aperçue et j'ai fui à l'autre bout du salon. Qui est l'avorton qui l'accompagne ?

— Son fiancé ! dit Hélène en riant.

— On ne peut pas dire qu'elle ait très bon goût !

— Peut-être n'a-t-elle pas trouvé de meilleur parti, dit Hélène.

— Vous êtes méchants, dit Stella. La pauvre Dora n'a pas du tout l'air heureux : je crois qu'elle était très amoureuse du Prince. Sa mort a dû la bouleverser.

Elie jeta un coup d'œil inquiet à Stella : allait-elle révéler qu'ils avaient été témoins de l'accident ?

— Sans doute, dit Hélène en allumant une cigarette. Nous l'avons tous été plus ou moins...

Elle consulta sa montre :

— Il faut que je parte maintenant : je dîne chez des amis grecs. Te verrai-je demain chez Leonora Tabourian ?

— Non.

— Alors je te téléphonerai avant mon départ.

Hélène prit congé de Stella et disparut.

— Elle paraît gênée chaque fois qu'on fait allusion au Prince, remarqua cette dernière. Je me demande pourquoi...

— Son engouement pour lui était assez visible, dit Elie. On se moque de Dora... mais peut-être Hélène avait-elle aussi un faible pour le Prince.

— Croyez-vous ! N'est-elle pas plutôt ennuyée d'être beaucoup sortie avec un individu somme toute peu recommandable ? J'ai entendu dire qu'il avait commis un meurtre...

— J'en doute, dit Elie. Il était peut-être un aventurier, à la rigueur un escroc...

— Je me demande ce qu'il venait faire dans le tombeau...

— Nous y étions bien ! dit Elie qui s'était posé la question un grand nombre de fois.

Stella sourit :

— Nous avions des raisons... bien qu'elles ne fussent pas très avouables. Mais lui ?

— S'il se promenait comme il en avait bien le droit, sa curiosité l'aura poussé à descendre dans une tombe en voyant de la lumière... Quoi de plus naturel ?

— Peut-être... dit Stella.

Elie vit qu'elle n'était pas convaincue. Lui-même ne l'était pas davantage : il ne voyait en effet aucune raison plausible à la promenade nocturne du Prince dans un lieu aussi éloigné de l'hôtel Zénobie.

— Parlez-moi plutôt de votre père, dit-il. Il revient dans quinze jours ?

— Oui, avec ma mère. Vous savez qu'elle est guérie ?

— Grâce à Aglibôl ?

— Je ne sais pas, dit Stella, mais mon père en est convaincu. Inutile de vous dire quelle reconnaissance il éprouve à votre égard.

— Il me l'a témoignée suffisamment...

Non seulement Elie s'était libéré de Farid Ghassan mais il avait pu se remettre à enrichir sa collection...

— Je suis contente d'aller avec vous en Cappadoce, dit Stella. L'Orient me plaît chaque jour davantage.

— Et les Orientaux ?

— Aussi, dit-elle. Pourquoi ?

— En épouseriez-vous un ?

— Pourquoi pas ?

— Moi ?

Ann pâlit et sa main serra le bras de Dick :

— Le voilà...

Il n'avait pas changé : toujours cette allure désinvolte, cet air sûr de soi. Sans être beau, il avait du charme et en usait : il aimait plaire et ne reculait devant aucun effort pour créer autour de lui ce climat de sympathie indispensable à son épanouissement. En souriant, il s'avançait pour saluer les uns et les autres et cette progression lente et constante à travers le salon le conduisait d'une manière inexorable vers la fenêtre auprès de laquelle Ann et Dick se tenaient. Quand Geoffrey, accaparé par un couple bavard ne fut plus qu'à quelques pas d'elle, son regard croisa celui d'Ann. Il fit un signe de tête auquel la jeune fille répondit machinalement.

Soudain un grand calme s'empara d'elle. Ses mains cessèrent de trembler et son cœur de battre douloureusement. L'expression inquiète de son compagnon la fit presque sourire :

— Cela va mieux, dit-elle.

Elle vida son troisième verre de whisky. Maintenant, elle pouvait regarder Geoffrey en affectant un air indifférent. Il suffisait de ne pas penser à certaines choses...

— Les gens commencent à s'en aller, remarqua Dick.

— Je pense que nous allons les imiter, dit Ann.

Elle prit son sac et ses gants posés sur une console.

— Bonjour, dit Geoffrey.

— Vous arrivez quand nous partons, dit Ann. C'était un cocktail très brillant, comme toujours chez Georges.

— Une réunion m'a retardé...

Elle sentait qu'il ne l'aimait plus... s'il l'avait

jamais aimée. Elle sut qu'elle aurait désormais
le courage de l'oublier, d'enfouir cette période
de sa vie au plus profond d'elle-même. Il
fallait procéder comme pour les photos : les
jeter dans un tiroir et ne plus céder à l'envie
morbide de les regarder. Elle souffrirait encore, pendant longtemps, mais le souvenir de
la lâcheté de Geoffrey la fortifierait dans la
résolution de retourner parmi les vivants.
Pierre l'avait aidée, au moment le plus difficile, aujourd'hui elle s'appuyait sur Dick :
elle n'était pas seule pour lutter contre le
passé.

— Il faut que nous dînions ensemble un
de ces soirs, proposa Geoffrey.

Il semblait disposé à la voir de nouveau,
à reprendre des relations. Avec dignité et
désespoir Ann refusa la tentation :

— Je suis très prise toute cette semaine,
dit-elle.

Il la considéra d'un air un peu étonné :

— Comme vous voudrez...

La fête se terminait. A la porte, Georges
d'Alvarez prenait congé de ses derniers invités.

— Votre amie Nadia est charmante, dit
Martha, un peu excitée par le champagne.
Comme elle n'avait aucun projet pour la soi-
rée, je l'emmène dîner chez moi.

— C'est tout à fait gentil de votre part, dit Georges d'un air légèrement narquois.

Le Consul descendit l'escalier avec les deux femmes.

— Adieu, dit-il à Martha.

— Au revoir. Je vous téléphonerai, dit-elle en s'engouffrant dans la Jaguar avec Nadia.

Le Consul s'en alla seul à pied dans la nuit tiède. Il leva la tête et pour la dernière fois vit la pleine lune qui montait dans le ciel d'Orient.

TABLE DES MATIÈRES

ACHEVÉ
D'IMPRIMER

SUR LES
PRESSES D'AUBIN
LIGUGÉ (VIENNE)
LE 5 AVRIL
1969

D. L., 2ᵉ trim. 1969. — Editeur, nº 3158. — Imprimeur, nº 5039.
Imprimé en France.